tudem®

T894.35

© 2007, Tudem • Cumhuriyet Bulvarı No: 302/501 Alsancak / İZMİR
metin hakları © 2005, Terence Blacker

İlk basım 2005 yılında İngiltere'de "ParentSwap" adı ile Macmillan
Children's Books tarafından gerçekleştirilmiştir.

Türkçeleştiren: Arif Cem Ünver
Editör: Burhanettin Düzçay
Düzelti: Perçem U. Yıldızbaş
Yayına Hazırlayan: İlke Aykanat Çam
Kapak: Özgür Gücüyener
Dizgi: Tudem Dizgi Ünitesi
Baskı: Ertem Matbaa • 0 312 284 18 14

Birinci Basım: Ekim 2007
Baskı Adedi: 3000

ISBN: 978 - 9944 - 69 - 188 - 8

www.tudem.com

GIFT

tudem®

DAĞINIK ÖTESİ

Bazen vücudumu terk ettiğim oluyor.

Yolda yürürken, evde ailemleyken ya da Bayan Elliott'ın sınıfının arka sıralarında önümdeki kâğıda amaçsızca bir şeyler çiziktirirken... aniden gidiveriyorum.

Bedenimden çözüldüğümü, tıpkı bir kartal gibi yukarı doğru yavaş yavaş yükseldiğimi hissediyorum. O ana kadar ben olarak bilinen çocuk, artık aşağıdaki manzaranın minicik bir noktası haline geliyor.

Tekrar aşağıya indiğimde ise o eski ben değilim artık. Ya da öyleysem bile, kendimin bir benzerine dönüşmüş gibiyim.

Bu yeni çocuk da benim gibi 13 yaşında; görüntüsü ve konuşması da aynı benimki gibi. Ama o daha iyi giyiniyor. Saç kesimi daha havalı. Onu kızdıracak bir şey söylendiği zaman, söyleyenin ağzının payını verecek cevabı yarım saat sonra değil, hemen oracıkta düşünebiliyor.

Birden çok bahçesi olan ve çimlerinde bir tavus kuşunun gezindiği büyük bir evde yaşıyor. İyi bir ailesi ve Harry Flintock adında, aynı zamanda en iyi arkadaşı da olan bir kâhyası var. Okula gitmiyor; çünkü bir kâşif, casus, macera adamı, gezgin, amatör psişik, aktif çevreci ve trilyoner olduğundan, Bayan Elliott'ın bir davul gibi gümbür gümbür çıkan sesini dinlemekten çok daha önemli işleri var.

Adı, Jay Daniel Bellingham.

Jay neredeyse her zaman bir tür maceranın ortasındadır. Ya yunuslar ile yüzüyor ya da azgın bir nehir üzerinde sal yarışı yapıyordur; bazen bir çölde dörtayak adını verdiği, kendi icadı aracını kullanıyor, kimi zaman da becerdiği gerçekten de harikulade bir iş sonrası dünya basınının sorularını yanıtlıyordur.

Ama aksi ve huysuz olduğu günler de vardır, çünkü çok sevdiği dostu Danny Bell'in başına gelen bazı olaylar onu kızdırır.

İşte o zaman havaya herkesi uyutan gizli bir uyku gazı sıkar; tek kişilik sınıfına ders vermeye devam eden Bayan Elliott hariç herkes uyuklamaya başlar. Ya da Danny'nin ablası Kirsty'ye öyle soğuk ve sert bir bakış fırlatır ki, kız kıpkırmızı olur, kekeler ve son on yıl içerisinde ilk defa susar.

Jay hiçbir zaman şiddete başvurmaz. O, insanlara zarar vermenin soylu bir davranış biçimi olmadığını düşünür. Birilerine kötü davrandığında, bunun mutlaka iyi bir sebebi —soyu tükenmekte olan hayvanlar, dünya barışı, herkesin mutluluğu, Danny Bell gibi— vardır.

Ben Jay Daniel Bellingham değilim. Ben Danny Bell'im.

Hayatımın sonsuza dek değiştiği o mayıs akşamüstünde, dörtayağım ile özel bir yarış parkurunun tozunu attırmıyordum. Okuldan çıkmıştım ve eve doğru yürüyordum. Yalnız, biraz pasaklı ve başı belaya girmiş olsa da, çantasında ailesine verilmek üzere öğretmeni tarafından yazılmış bir yazı –gerçekten de çantamda böyle bir yazı vardı– bulunsa da ses çıkartmayarak ve etraf yatışana kadar ortalıkta görünmeyerek yakayı sıyıran türden bir öğrenciydim.

Hayallere dalmış durumda, yaşadığım mahalledeki karanlık ve kocaman apartmanların arasından geçerek eve yaklaştığımda, etrafımda çim bahçeler ve tavus kuşu yerine yalnızca çatılarda gevezelik edip gülüşen sığırcık kuşları vardı.

Ayrıca birazdan çıkacağım iki kat merdiven de şehir dışındaki malikânemin merdivenleri değil, Gloria Konutları No:33 adresindeki 'ev' adını verdiğimiz daireye çıkan, yaz ortasında bile serin ve nemli olan, çiş kokulu, beton merdivenlerdi.

Hayır, ben Jay değilim. Ben Danny'yim. Ve hayatımda ilk kez gerçekler, herhangi bir rüyadan daha garip hale gelmek üzere…

1. RÖPORTAJ: *Dave, Kirsty ve Robbie Bell*

DAVE: *O günü anımsamıyorum. Genelde Danny televizyonda 'Bir Kelime Bir İşlem' varken gelir, bir şeyler atıştırır,*

sonra da odasına gider. O yok mu o... ne hayalperesttir!
Tıpkı babası gibi kendi dünyasında yaşar.

KIRSTY: Deli demek daha doğru olur.

DAVE: Daha o ufacıkken onun için 'Benim Küçük Hayal-
perestim' diye bir şarkı yazmıştım. Eğer isterseniz burada
size söyleyebilirim.

RÖPORTAJCI: Belki daha sonra.

KIRSTY: Baba, pardon ama Danny hiç de sana benzemi-
yor. O gitar çalmıyor. Patates çuvalı gibi bütün gün tele-
vizyon karşısında pineklemekten hoşlanmıyor. Sabahın on
birinden itibaren bira içmeye başlamıyor. Ayrıca bazıları-
mızın aksine, evden dışarı da çıkıyor.

DAVE: Hadi ama tatlım, konuyu değiştirsek iyi olacak.

ROBBIE: Beni parka götürürdü, öyle değil mi baba?

KIRSTY: Dürüst olalım, hiçbirimizin ona aldırdığı yoktu.
Bütün bu yaygaranın sebebini anlayamıyorum.

RÖPORTAJCI: O sıralarda Bayan Bell yanınızda değildi
sanırım?

DAVE: Paula mı? Hayır, değildi. Hatta oldukça ayrıydı
diyebilirim. Ayrı yaşamayı deniyorduk da. O, kariyeriyle
ilgileniyordu. Bana düşense çocuklara bakmak oldu.

KIRSTY: *Ve sen de bunu televizyon seyrederek ve alışverişe sürekli bizi yollayarak yaptın.*

ROBBIE: *Annem de televizyon seyrederdi.*

DAVE: *Tabi, her zaman diğer kanallardan birinde seyretmek istediği bir şeyler olurdu. Şu uzaktan kumanda konusunda ciddi kavgalarımız olmuştur.*

RÖPORTAJCI: *Hepinize çok teşekkürler. Çok yardımcı oldunuz.*

Ev: 'Dağınık' sözcüğü, Gloria Konutları, No:33'teki evimizin nasıl göründüğünü tarif etmeye başlamaya bile yetmez. Sanki ailemin –annem, babam, ablam Kirsty ve kardeşim Robbie– her bir üyesinin kendine has düzensizliği, televizyondaki vahşi hayat belgesellerindeki gibi çiftleşmiş ve sıradan bir dağınıklığın çok ötesinde bir tür meydana getirmişti.

Böylece babamın katkıları –bira kutuları, izmaritler, gitar telleri, ayağından birkaç hafta önce çıkardığı bir çorap teki– Kirsty'nin gençlik dergileri, eski rujları, sivilce kremi tüpleri ve boş CD kutuları ile bir araya gelmişti. Altı yaşındaki Robbie, kırık bilgisayar oyunları, delik bir futbol topu ve yarısı yenmiş bir hamburgerle katkıda bulunurken, banyo veya mutfağın acayip ve keşfedilmemiş köşelerinde annemin ardında bıraktığı tarihi kalıntılara –artık giymediği bir elbise, espri olsun diye aldığı ve hiç takmadığı sarı bir peruk, hatta (eğer gerçekten şanssızsanız) ucuz ve eski bir sütyen veya bir külot– rastlayabiliyordunuz.

Bir konuya açıklık getirmek istiyorum: Bu bir aile trajedisi değil. Babam gitarı ile eski şarkılarından birini çaldığında ya da Robbie oturma odasında maymun dansı yaptığında; Kirsty bayat esprilerinden birini patlattığında veya annem Paula (hâlâ bizimleyken) iyi geceler öpücüğü verirken saçımı okşadığında bu ev, yaşamak için güzel bir evdi.

Sorun, son zamanlarda bu saydıklarımdan hiçbirinin yapılmıyor olmasıydı. Babam gitarından çok birayla ilgileniyor, Robbie sadece bilgisayar oyunları oynuyor, Kirsty ise genç kızlığa adım attığından bu yana tüm espri anlayışını emen bir hastalığa yakalanmış gibi davranıyordu.

Annemin olduğu yerde artık bir boşluk vardı. Arada sırada görüşüyor ve haftada iki üç kere telefonda konuşuyor olsak da benim için zaman yaratmaya çalıştığını, beni yoğun hayatına ilave etmeye uğraştığını, yaşamında Danny Bell'in gündelik problemlerinden daha ilginç ve önemli sorunlar olduğunu görebiliyordum. Bu yüzden de ona kendi dertlerimden bahsetmiyordum.

Bazen aileler insana, kendisini çok yalnız hissettirebiliyorlar.

Bu konuda bana güvenin: Bell ailesinin geçmişini ayrıntılı bir şekilde öğrenmek istemezsiniz. Yaptığım listelerden bir tanesi bile (bazen sınıfta listeler yaparım) size bilmek isteyeceğinizden daha fazlasını verecektir.

HAYATIM HAKKINDA ON ÖNEMLİ MADDE

1. Babam bana "Ahmak" lakabını takmaya çalışmıştı; hayranı olduğu ünlü bir pop yıldızının lakabıymış.

2. Ayağıma bir futbol topu değmeyeli beş yıl oluyor.

3. Anormal uzunlukta bir dilim var ve onu burnuma değdirebiliyorum. Bu sayede okulda üç iddia kazanmışlığım var.

4. Geçtiğimiz iki yıl üç ay boyunca babam herhangi bir nedenle veya bir kişi için evden dışarı adımını atmadı.

5. Annemin kuzenlerinden biri mağazada çalışırken bir seferinde Jennifer Aniston'a tezgâhtarlık yapmış ve kim olduğunu fark etmemiş.

6. En sevdiğim hobim banyo küvetinde uzanıp 'Kuşların Dünyası' adlı kitabımı karıştırmak.

7. Annem şu anda buraya on dakikalık yürüyüş mesafesinde yaşıyor ve biz ailenin diğer üyeleri olarak bunu dert etmiyoruz.

8. Solağım.

9. Eğer ölecek olsam, ailemdekiler haricinde yalnızca iki kişi, Maddy Nesbitt ve Rick Chancellor, gerçekten istedikleri için cenazeme gelirler. Diğerleri için bu bir görev/suçluluk

duygusu/merak/okulu ekmek için bir fırsat meselesi olur. Aslında üç kişi. Bayan Elliott da beni oldukça sever.

10. Merak etmeyin, yakın bir zamanda öbür tarafa gitmeyi planlamıyorum.

O gün öğleden sonra eve adım attığımda içerisinin pek de iç açıcı göründüğünü söyleyemeyeceğim.

Oturma odasındaki kanepenin önünde, pörsümüş çoraplar içerisindeki iki adet kocaman ayağın çevresinde yağlı tabak çanaklar, boş bira kutuları ve içlerinde sigara söndürülmüş çay tabakları mide bulandırıcı bir daire oluşturmuştu.

Babam, Bir Kelime Bir İşlem'i seyrediyordu. Sanki hayatı boyunca Bir Kelime Bir İşlem seyretmekten başka bir şey yapmamış gibi bir görüntüsü vardı. Hemen yanında ise gitarı adeta bir insan gibi duruyordu. Elindeki sigaradan süzülen mavi duman döne döne yukarı doğru çıkıyor, pencereden gelen güneş ışıklarını belirginleştiriyordu.

Yerden birkaç tane bira kutusu toplarken, "Selam baba," dedim.

Babamın gözleri televizyon ekranından ayrılmadı. Kelimelerle arası pek iyi sayılmasa da bu yarışma, onun en sevdiği programdı.

"Baklalık," diye atıldı.

"Sanmıyorum baba," dedim. "Baklalık sözcüğünü sözlükte bulamayacağına bahse girerim."

Televizyondan gözlerini ayırmaksızın, "Tabi ki bulurum," diye cevap verdi. "Şu senin okulunda ne öğretiyorlar size kuzum?"

Ekrandaki yarışmacılardan bir tanesi, "Ben, kalabalık sözcüğünü türettim," dedi.

Babam boşta duran eliyle oturduğu kanepenin kenarına bir şaplak atarak, "Eğer sen içeri girmemiş olsaydın bunu ben de bulurdum," diye hayıflandı.

"Üzgünüm baba."

Üzerinde, katılaşmaya başlamış konserve fasulye ve ekmek bulunan bir tabağı alıp masaya koyacakken gözüm bir kitaba çarpıverdi.

Bir kitap?... Babamın yanında?... Yanlış olan bir şeyler vardı. Bu durumun ne kadar olasılık dışı olduğunu idrak etmeye başladığım sırada birkaç şeyin daha farkına vardım:

1. Kitap bana aitti.

2. Bana ait bir kitap olmasından öte, 'Kuşların Dünyası' adlı en çok sevdiğim kitaptı.

3. Üzerine bira dökülmüştü.

Kitabı kaldırdığımda üzerinden hâlâ bira damlıyordu. "Ne oldu burada?" diye sordum.

"Ha, o mu?" Babam sanki televizyona daha dikkatli bakmaya başlamıştı. "Tabağım sıcaktı da. Kitabı kucağıma koydum."

"Ama... üzerine bira dökülmüş?"

Kafasını çevirip kısa bir süre kitaba baktı. Azıcık şaşırmışa benziyordu. "Pardon evlat," diyerek birasından bir yudum aldı. "Sonra hallederim."

"Neden?.."

Ona asıl sormak istediğim şey, neden benim için önemli olan her şeyi berbat etmek zorunda olduğuydu; ama daha başlarken bunun bir kavgaya dönüşeceğini, onun için üzülmeme yol açacağını; karısı tarafından terk edilmiş, kariyeri tarih olmuş, bakması gereken üç çocuğu olan ve evinden dışarı çıkmasını engelleyen psikolojik bir sorunu bulunan biri olarak Dave Bell olmanın ne kadar zor olduğu hakkında büyük bir tartışma başlayacağını biliyordum. Sonunda ben özür dilemek zorunda kalacak, yatağıma kendimi suçlu hissederek gidecektim.

Elimde ıslak kitabım, Robbie'nin, ağzına bir hamburger tıkıştırmaya çalıştığı mutfağa yürüdüm.

Kuşların Dünyası'nı silip kalorifer peteğinin üzerine koyarken, "Her şey yolunda mı?" diye sordum.

Robbie, hamburger dolu bir ağız sesi çıkarttı.

"Okul nasıldı?"

Robbie omuzlarını silkti ve ağzındakini yuttu. "Babam neden sürekli olarak *Bir Kelime Bir İşlem*'i seyretmek zorunda?" diye homurdandı. "Ben diğer kanaldaki *Scooby-Doo*'yu seyretmek istiyorum."

Büfenin üzerinde bir tomar kahverengi zarf görüp elime aldım ve şöyle bir göz gezdirdim. Hepsinin de üzerinde 'bu adreste yaşamıyor' yazıyordu.

Babamın bugün neden normalden daha az konuştuğunu şimdi daha iyi anlıyordum. Gelen mektupları gözden geçirmişti.

Gençlik yıllarında biraz asi biriymiş babam; arada sırada, "Ben her zaman bir yabancı olmuşumdur," der.

Ona göre, resmi kurumları temsil eden, koyu takım elbiseli ve kravatlı bir sürü adam var peşinde. Bu insanlara taktığı bir isim de var: Herif.

Televizyon aboneliğinin ücretini ödemesini isteyen de, vergi ile ilgili sorular soran da, iş bulması için onu dürtükleyen de bu Herif. Herif onun bir müzisyen olduğunu, dört yıl önce babasının vefat etmesinin verdiği şoku hâlâ atlatamadığını hiçbir zaman anlayamayacak. Ve aynı Herif, ona buharla açılması gereken –Herif'ten gelmemiş olması ve içinden para çıkması ihtimaline karşı– ve dikkatlice kapatılıp üzerine 'bu adreste yaşamıyor' yazılan kahverengi zarflar içinde yazılar yolluyor.

Doğruyu söylemek gerekirse, babamın Herif ile olan savaşı böyle zamanlarda işime yarıyordu. Elimi çantama attım ve sınıf öğretmenimiz Bayan Elliott'ın aileme verilmek üzere yazdığı, onlara (sadece tahmin ediyorum, ama inanın bana haklıyım) son derece başarısız bir öğrenci olduğumu, genel davranışlarım konusunda gittikçe daha fazla kaygılandığını ve bunun gibi daha bir sürü şeyi anlatan mektubu çıkarttım, kahverengi zarfların arasına ekledim.

Babama göre Bayan Elliott da bir Herif'tir. Yazdığı mektup görmezlikten gelinecek ve birkaç gün içerisinde ben o zarfı sessizce çöpe atacağım.

Odama doğru giderken, banyoya bakmak gibi bir hatada bulundum.

"Gittiğin okulda sana kapıya vurmayı öğretmiyorlar mı?"

Ablam Kirsty, aynanın önünde durmuş, çenesindeki bir sivilceyle uğraşıyordu.

"Dışarı mı çıkıyorsun?" diye sordum.

"Sen kendi işine bak Pinokyo," diye tersledi.

Kirsty hakkında biraz bilgi vereyim. Kendisi Bell ailesinin kadrolu Bayan Kızgın'ıdır. Onun bu, ergenliğe bağlı somurtkanlığının geçtiğini düşünmeye başladığım zamanlar olmuştu –geçen sene okulu bıraktığında, saçını sarıya boyadığında, mahalledeki süpermarkette çalışan ve yirmili yaşlarının sonundaki Gary ile çıkmaya başladığında– ama nedense bu hiçbir zaman gerçekleşmedi. Ömrü boyunca ergenlik çağında kalacağını düşünmeye başlamıştım.

Banyodan çıktım. O sırada aklıma bir şey geldi, kafamı tekrar kapıdan içeri uzattım.

"*Pinokyo* mu?" diye sordum. "Neden Pinokyo?"

Kirsty dramatik bir şekilde iç geçirdi. Kafasını iki yana sallayarak, "Çünkü," dedi, "Pinokyo o korkunç burnunu başkalarının işlerine sokuyordu. Tıpkı benim korkunç küçük kardeşim gibi."

"Hayır," dedim. "Bu konuda hatalısın gibi geliyor bana."

"Seni zavallı, kendini beğenmiş ufaklık. Öyle olmasa neden uzun bir burna sahip olsun ki?"

"Çünkü o yalan söylüyordu. Her yalan söylediğinde de burnu uzuyordu."

"Ne fark eder? Aynı şey." Kirsty suratını aynaya biraz daha yaklaştırdı.

"Pinokyo'nun burnu büyüdükçe büyüyordu, aynı senin çenendeki o sivilce gibi."

"Çık dışarı!"

Eline aldığı bir kalıp sabunun, kapatmakta olduğum kapıya son hızla çarptığını duydum.

Robbie ile paylaştığım odama gittim, kapıyı kapattım ve yatağıma oturdum.

Genelde günün o vaktinde gözlerimi dış dünyaya kapatarak rahatlar, yalnız kalabilmenin keyfini çıkartırım. Ya da *Kuşların Dünyası*'ndaki resimlere ve kuş türlerinin tariflerine bakarım.

Ancak *Kuşların Dünyası*'na bira banyosu yaptıran sevgili babam sayesinde, o akşam okul çantamı açıp içindekileri yatağımın üzerine boşaltarak vakit geçirmekten başka yapabilecek bir şeyim yoktu.

Her zamanki kargaşayla karşı karşıyaydım: Okumaya bir türlü başlayamadığım ödevler, okuldan yollanan tarihi geçmiş birkaç yazı, iki üç kitap.

Müdür yardımcısının yolladığı ve yeni yapılan müzik odası için istenen yardımlardan bahseden mektubu çöp tenekesine yollayacakken, daha önce hiç görmediğim siyah beyaz bir kâğıda gözüm çarptı. Kocaman ve koyu harflerle yazılmış "AİLENİSEÇ" sözcüğü neredeyse üzerime atlayacak gibiydi. Bu bir reklam broşürü olmalıydı.

Yatağımda doğrulup okumaya başladım:

Yeni bir hayata başlamak ister misin?

Yeni bir yuva mı arıyorsun?
Ailenden sıkıldın mı?
Öyleyse durma ve...

AileniSeç™

Bundan on sekiz ay önce, bazı öğrenciler daha mutlu ve güzel bir yaşam için hayatlarında nelerin değişmesi gerektiğinden bahsediyorlardı. Kimi gittiği okuldan nefret ediyor, kimiyse farklı bir yerde yaşamak istiyordu. Ancak neredeyse tümünü her şeyden daha fazla rahatsız eden konu aynıydı:

AİLELERİ!

Ama ailenizi değiştiremezsiniz, değil mi?

Yanlış! On bir ile on altı yaş arasındaysanız size, ihtiyaçlarınıza göre seçebileceğiniz yeni bir aile sunarak eski hayatınızdan kurtulup yepyeni bir hayata başlamanız için her yönüyle yasal bir yol öneriyoruz.

*Gerçek olamayacak kadar harika görünüyor değil mi? Oysa biz, **AileniSeç**™ şirketi olarak şimdiye kadar beş yüzün üzerinde çocuğa yeni yuva sunduk. Sonuç? Sadece yüzde ikiden azı, eski ailelerine geri döndü!*

Diğerleri ise bir değişim geçirdiler ve artık yeni aileleri ile bambaşka bir hayat yaşıyorlar.

İşte bize gelen mektuplardan bazıları:

*"Daha iyi yemekler, daha güzel bir hayat, daha fazla televizyon seyredebilme imkânı... Teşekkürler **AileniSeç**™!"*
DL, 12 yaşında

"Büyüklerin de insan gibi davranabildiğini görmüş durumdayım. Artık bütün arkadaşlarıma söylüyorum: Hayatınızın iplerini elinize alın ve ailenizi kendiniz seçin!" AMS, 15 yaşında

*"**AileniSeç**™ ile tanışmadan önce, hayatımı kontrol altına alabilmem için on sekiz yaşında olmam gerektiğini düşünüyordum. **AileniSeç**™ yirmi birinci yüzyılın en önemli buluşu."*
TSL-T, 14 yaşında

İlginizi çekti mi? O zaman ne duruyorsunuz?
*Bize bir telefon açın veya **ailenisec.com**'a bir göz atın.*

Şaka?.. Evet, bu bir şaka olmalıydı. Okulda benim yalnız başıma takılıyor olmama, onların kurduğu çetelere ya da oynadığı oyunlara katılmamama her nedense kızan birkaç çocuk vardı; ama doğruyu söylemek gerekirse hiçbirinin böyle bir numarayı düşünecek kafası yoktu.

Cep telefonuma uzandım ve bir anlık tereddütten sonra broşürdeki numarayı çevirdim.

Bir kere çaldıktan sonra telesekreter mesajı çıktı. Bir bayan –genç, belki de bir çocuk– sesi, "Merhaba, çocuklar için benzersiz bir aile hizmeti sunan AileniSeç'e ulaştınız. Bizler sizin için varız, ancak şu anda ofisimiz kapalı. Bize normal çalışma saatlerinde ulaşabilirsiniz. Sizinle konuşmayı heyecanla bekliyoruz," diyordu.

Tekrar yatağıma uzanıp broşürü elime aldım.

Yeni bir hayata başlamak ister misin?

O sırada oturma odasında kopan bir yaygara sanki bu soruya cevaben, dar koridorun duvarlarından sekerek odama ulaştı. Söylenenleri tam olarak duymadığım halde kavganın ne hakkında olduğunu biliyordum. Kirsty dışarı çıkıyordu. Dışarı hiç çıkmayan babamsa buna itiraz ediyordu. Kirsty'ye göre babamı sinirlendiren tek şey akşam yemeğini kendisinin hazırlamak zorunda kalmasıydı. Birisi –muhtemelen Robbie– televizyonun sesini açtı ve Scooby-Doo'dan gelen sesler Bell ailesinin çıkardığı gürültüyle karışıp korkunç bir yaygaraya dönüştü.

Gürültü giderek yükseldi, yükseldi... ve güm! Ablam dışarı çıkmış, evde sadece *Scooby-Doo*'dan gelen sesler kalmıştı.

Yeni bir yuva mı arıyorsun?

Yeniden cep telefonuma sarıldım. Yeryüzünde bu gibi zamanlarda konuşabileceğim yalnızca iki insan vardı: Maddy Nesbitt ve Rick Chancellor. İkisi de ailevi sorunlar hakkında tecrübe sahibiydiler ve gerektiğinde çenelerini sıkı tutmayı biliyorlardı.

Anlık bir içgüdü ile Maddy'yi seçtim.

Telefonu cıvıl cıvıl bir sesle, "Hey, tatlı çocuk," diye açtı. "Nasılsın bakalım?"

"Harika," diyerek yalan söyledim. "Ya sen?"

"Annemin randevusu var." Maddy güldü. "Evde durmadan 'Rüya Akşamı' adlı şarkıyı söylüyor."

"Adam kimmiş?"

"Duruş sahibi bir ikizler burcu. Çöpçatanlık ajansı oldukça tatlı ve yakışıklı biri olduğunu söylüyor. Annem daha adamı görmediği halde aradığı kişinin o olduğundan emin. Kendisinin bir aktör olduğunu söylüyormuş."

"Tabi, tabi..."

"Bence de."

"Bu galiba aptalca bir soru olacak," dedim, "ama son zamanlarda çantandan olağan dışı bir şeyler çıktı mı hiç?"

"Olağan dışı? Ne yönden?"

"Bir çeşit reklam broşürü. Büyük ihtimalle önemsiz bir şey."

"Biraz bekle o zaman. Çantam yanımda." Kısa süren hışırtılardan sonra Maddy tekrar hattın diğer ucunda belirdi.

"Yalnızca her zamanki şeyler var," dedi. "Ne tür bir reklamdan söz ediyoruz?"

Elimdeki broşüre baktım.

Ailenden sıkıldın mı?

"Boş veeer... Bir yerlerden yanlışlıkla almış olmalıyım."

"İyi misin Danno? Sanki bir gariplik var sende."

"Oldukça iyiyim," dedim. "Hatta hiç bu kadar iyi olmamıştım."

Hoşça kal, deyip hızlı arama tuşuna bastım.

Neredeyse aynı anda, ezbere bildiğim bir telesekreter mesajı devreye girdi. Bu ses annemin 'şık sekreter' sesiydi.

"Merhaba, Ben Paula Griffith. Şu anda telefonunuza yanıt veremiyoruz, ama lütfen bir mesaj bırakın, biz..."

Biz. Annemin telesekreter mesajında 'biz'den bahsetmesi bazen, kendimi iyi hissettiğim zamanlarda, yüzüme bir gülümseme getiriyordu. Sesi, kulağa son derece neşeli ve pozitif geliyordu; sanki müthiş bir ailenin parçasıydı, harika kocası ve mükemmel çocukları ile 'biz' olmaktan ve eğlenmekten telefonuna cevap vermeye bile vakit bulamıyordu.

Diğer –tıpkı bunun gibi– zamanlarda ise annemin dünyaya verdiği mesajın sahte olduğunun farkına varıyordum. Annem için 'biz' her zaman 'ben'den sonra gelirdi.

Karnımın derinliklerinde hissettiğim üzüntü düğümünü görmezden gelmeye çalışarak telefonu kapattım.

Yeniden yatağıma uzandım ve broşürü elime aldım.

AileniSeç. Her nedense bu kelime beni gülümsetiyordu. Çılgınca görünmesine rağmen, tarif edilemez bir şekilde önümde bir kapının açılmaya başladığı hissine kapılıyordum.

Kapının ardından bir ışık, bir ümit ışığı süzülüyordu.

2. RÖPORTAJ: Rafıq Asmal

RAFIQ: *Doğruyu söylemek gerekirse, bu işi bu kadar çabuk benimsemesi bizi biraz şaşırtmıştı. İlk günden itibaren hevesli ve azimliydi. Broşürün çantasına yerleştirilmesinden sonraki yirmi dört saat içerisinde bizimle irtibata geçmeye çalıştığı haberi geldi. Gerçekten de heyecan vericiydi.*

RÖPORTAJCI: *Peki Madeleine Nesbitt ile yaptığı görüşme sizi endişelendirdi mi?*

RAFIQ: *Katiyen. Onun üstesinden gelebilirdik. Ne de olsa bizler profesyoneliz.*

HAYALLERDEN GERÇEĞE

Ertesi gün, sabah okula giderken rotamı değiştirip Sunnybrook Parkı'na uğradım, her zamanki bankıma oturup AileniSeç broşüründeki numarayı aradım.

Saat sekizi yirmi geçiyordu. Yine bir telesekreter mesajıyla karşılaşacağımı düşünürken, ikinci çalışta biri telefona cevap verdi:

"Günaydın, AileniSeç."

Kadının sesi cıvıl cıvıl ve profesyonel –yani normal– bir sesti. Korkmuş olmalıydım, çünkü aniden ağzımın içi kurumuştu ve söyleyecek bir şey bulamıyordum.

Kadın, "Merhaba," dedi. "Burası AileniSeç. Yardımcı olabilir miyim?"

"Bu kadar erken bir saatte orada birilerinin olmasını beklemiyordum," dedim.

Kadın güldü. "Saat yedi buçukta açılıyoruz. Okul başlamadan önceki bir saat, en çok telefon aldığımız zamandır. Size nasıl yardımcı olabilirim?"

"Şey... Adım Bellingham, Jay Daniel Bellingham. Broşürünüzü gördüm de."

Sanki söylediğim isim, kadının beklediğinden farklıymış ve bu onu çok şaşırtmış gibi bir an sessizlik oldu.

Hemen ardından neşeli bir sesle, "Bu harika Jay. Ve belki de nasıl çalıştığımızı; yani ne yaptığımızı, çocuklara yeni ailelerini nasıl bulduğumuzu ve bunun gibi şeyleri merak ettin," dedi.

"Benim bir ailem var." Bu cümle ağzımdan oldukça yüksek bir sesle çıkmıştı. Bu delice konuşmayı biri duyacak korkusuyla etrafıma bakındım.

"Olabilir Jay," diyordu kadın. "Birçok insan, bir değişikliğin kendilerine iyi gelebileceğini düşünür. Bir sabah uyanırlar ve yeni bir aile sahibi oldukları takdirde hayatlarında, çözülmesi mümkün olmayan hiçbir sorun kalmayacağının farkına varırlar. Biz sizlerin, hangi yaşta olursanız olun, seçim yapma hakkına sahip olduğunuza inanıyoruz. Çünkü çocuk olmak seçebilmek demektir."

AileniSeç'teki kadın sanki deniz kenarında bir hafta sonu tatilinden bahsediyordu.

Tereddüt içerisinde, "E... evet," dedim. "Sanırım bu konu hakkında sizi daha sonra arayacağım."

"Belki de buraya gelip sohbet etmek istersin. Hiçbir yükümlülük yok. AileniSeç, kâr amacı güden bir şirket değil; yani senden para istemiyoruz. Temsilcilerimizden biriyle konuşabilirsin. Eğer yeni bir aile sahibi olmanın çok da iyi bir fikir olmadığını düşünürsen ve şu anki hayatına devam etmeye karar verirsen bu, bizim için hiç sorun olmaz. Ama

AileniSeç'in davetini kabul edip hayatını değiştirmeyi düşündüğün takdirde de çok seviniriz. Biz sadece senin gibilere yardım etmek için varız Jay."

"Ne kadar da... iyisiniz."

"Şansa bak ki meslektaşım Rafiq bu akşamüstü boş görünüyor. Sana bir randevu almamı ister misin?"

"Hımm..."

"Okuldan kaçta çıkıyorsun?"

"Üç buçuk."

"Öyleyse dört buçuk uygun mu?"

Duraksadım ve o birkaç saniye içerisinde her zamanki gibi Danny Bell, yani Bay Başıöneeğik, Bay Sessizkalan, Bay Hiçbirşeyiçingönüllüolmasakın gibi mi davranacağımı, yoksa yalnızca bir kereliğine de olsa yaşamı ensesinden kavrayıp düşündüklerini gerçekten yapan Jay Daniel Bellingham mı olacağımı düşündüm.

Derin bir nefes aldım ve Jay'de karar kıldım.

"Tamam," dedim.

"Bu harika Jay." Kadının sesi gerçekten de sevinmiş gibi çıkıyordu. Adresi söyledi. "Rafiq seni görmekten mutluluk duyacak."

İnanın ki deli değilim. Arada sırada gerçek hayattan teneffüse çıkıyor olsam da büyük bir şehirde, tanımadığım insanlarla buluşacaksam arkamı kollamam gerektiğini biliyordum.

Sır tutabilecek birini bulmam gerekiyordu. Ve doğruyu söylemek gerekirse bu tanıma uyan sadece bir kişi vardı.

Rick Chancellor öğle tatili sırasında her zamanki yerindeydi: Sınıfın köşesindeki sırasında, resim defterinin üzerine eğilmiş durumda.

Rick'i sokakta yürürken ya da okul bahçesinde dolaşırken görseniz, onun ayaklı bir bela olduğunu düşünürsünüz. Uzun boylu, geniş omuzlu bir zenci olduğundan insanlar onu potansiyel bir tehdit unsuru olarak görürler.

Ancak o heybetli görünümünün altında, tahmin edilenden çok farklı biri vardır. Sessiz, uyumlu, ve belaya bulaşmamak için elinden geleni yapan biri olan Rick, annesiyle yaşar ve hayattan, çizim yapmak dışında bir isteği yok gibidir.

Rick bir sanatçıdır. Çizimlerinde öyle detaylar vardır ki, neler olup bittiğini anlamanız için bir büyütece ihtiyacınız olur.

Bir gün Rick Chancellor'un bu minik ve mükemmel dünyası onu ünlü yapacak; ancak hayatının bu aşamasında ona sadece üzüntü veriyor. Okuldaki öğrenciler –ufak tefekler, ondan yaşça küçük olanlar ve kızlar bile– Rick'i bir alay konusu olarak görüyorlar. Ona sataştıklarında ya da gördükleri zaman 'Hulk' diye bağırdıklarında Rick'in sadece kekelemeye başlayıp gülümsemesi onları güldürüyor ve daha da acımasızlaşmalarına yol açıyor.

Bu kadar iri yarı birinin hiçbir zaman gücünü kullanmaması, sesini yükseltmemesi ya da kızgınlık içerisinde yumruklarını sıkmaması onlara son derece tuhaf geliyor. O kocaman ellerin minicik ve zarif resimler yaratmak için kullanıldığı gerçeğini, şahıslarına yapılmış bir hakaret gibi görüyorlar; sanki Rick sırf onları sinir etmek için böyle biri olmuş gibi. Planları onun içindeki canavarı ortaya çıkartmak ve onu, görünüşü ile uyumlu bir şekilde davranmaya zorlamak, ama hiçbir zaman başaramayacaklar. Çünkü Rick, ne yapsalar Rick. O başka türlü bir güce sahip.

Bayan Elliott, bir vadinin ortasından geçen nehir manzarası için ona övgü dolu sözler söylediği zaman sınıfa bir nevi kızgınlık dalgası yayılıyor.

İşte Rick zamanını buna harcıyor. Minyatürler.

Bir akşam evine giderken, sınıftan üç çocuk –iki oğlan, bir kız– üzerine atlamışlar ve resim defterini alıp çizdiği resimleri bir çakmak ile tek tek yakmışlar.

O zamandan beri resimleri hakkında kimseyle konuşmuyor. Ben hariç...

Rick kendini yaptığı işe o kadar kaptırmıştı ki sınıfa girdiğimin farkına bile varmadı.

Çizmeye devam ederken ben de arkasında durdum ve usulca, "Güzel çalışma," dedim. Bir an omuzları kasıldıysa da, arkasındaki kişinin ben olduğumu görünce gevşedi.

"Daha yeni başladım." Rick, üzerinde çalıştığı resmi görmem için adeta istemeye istemeye geri çekildi.

Bu, bir kasabanın kuş bakışı görüntüsüydü. Ve daha şimdiden caddelerin, evlerin, arabaların ve kamyonların detayı olağanüstü görünüyordu. Rick'in, kâğıdının üzeri kaleminin mikroskobik darbeleriyle dolana kadar çizim yapmaya, detay üzerine detay katmaya devam edeceğini biliyordum. Bir noktada resim mükemmel hale gelecek, ancak Rick durmayı beceremeyip daha fazlasını eklemeye devam edecekti. Görebildiği şeylerin sınırı yok gibiydi: Sadece bir köpek değil, köpeğin kulağı, köpeğin kulağındaki her bir tüy, köpeğin kulağındaki tüyler üzerinde zıplayan bir pire, köpeğin kulağındaki tüy üzerindeki pirenin bacakları... Bittiğinde, kâğıdın üzeri nefes kesici ve imkânsız gibi görünen koyu bir detaylar silsilesi ile dolacaktı. Bu hem muhteşem, hem de rahatsız ediciydi.

Kısa bir süre sonra resim defterini kapattı.

Usulca, "Bana yardım edebileceğini umuyorum," dedim.

Kaşlarını kaldırdı. "Ne var?"

"Okuldan sonra biriyle buluşmam lazım –kim olduğu önemli değil– ama bu durum hakkında kimseye bir şey söylemedim."

"Başın dertte mi Danny?"

Kafamı iki yana salladım.

"Tabi ki hayır. Gerçekten de önemli bir şey değil. Sadece, eğer... bir şey olursa sıramın içine bak. Alıştırma kitabımın arkasında bugün gideceğim yerin adresi ve telefon numarası var."

Rick bir an gözlerini bana diktiyse de zor sorular sormasına fırsat vermeden omzuna vurup, "Sen gerçek bir dostsun," dedim ve onu resmi ile baş başa bıraktım.

3. RÖPORTAJ: Bayan Diana Elliott

BAYAN ELLIOTT: *Sekizinci sınıf her zaman zor bir sınıftır. Baş belaları iyice su yüzüne çıkar; kendilerine olan güvenleri de endişe verecek düzeye gelir. Artık çeteler kurulmaya başlanır; o küçük düzenbaz gruplar, bilirsiniz ya? Eğer başka bir sene sınıf öğretmeni olsaydım Danny Bell hakkında kaygılarım olurdu: zeki bir çocuktu, ama sanki zekiliğinin bilinmesini istemiyor gibiydi. Her zaman aklı bir karış havada gibiydi. Birkaç arkadaşı –Koca Rick Chancellor ve Maddy Nesbitt– vardı; ama diğer çocuklarla kaynaşmıyordu. Kuralları çiğnediği söylenemez; daha çok onların farkında değil gibiydi. Bazen sınıfta ya da bahçede yalnızca Danny'nin komik bulduğu olaylar oluyor. Çoğu zaman kendi küçük dünyasında. Kim bilir, belki de orada, gerçek dünyada olduğundan daha iyi bir durumdadır. Hepimizin bu dünyaya ayak uydurmak için kullandığı stratejiler var, öyle değil mi?*

RÖPORTAJCI: *Yani mayıs ayının ortalarında, süregelen bir bunalım olduğuna dair hiçbir işaret yok muydu?*

BAYAN ELLIOTT: *Sekizinci sınıfta her zaman sıkıntılar yaşanır, ama doğruyu söylemek gerekirse Danny ve arkadaşı Rick Chancellor gibi sessiz olanlar, gerçekten problem yaratan çocuklar yüzünden ikinci plana düşerler. Ortaya çıkıp sınıfta huzursuzluk yaratmadıkları sürece sessizler sorun değildir. Ama eğer daha küçük sınıflarımız* veya daha fazla maddi desteğimiz olsaydı bir terslik olduğunu görebilirdik.

RÖPORTAJCI: *Ama o hep sınıfınızdaydı?*

BAYAN ELLIOTT: *Fiziksel olarak evet. Ayrıca kafasının her zamankinden daha dağınık olduğunu fark etmiştim. Sonradan da açık bir şekilde belli olduğu üzere zamanında önlem almam gerekiyormuş. Daha önceden harekete geçmem gerektiği sonradan ortaya çıktıysa da o zamanlar, problem çocuklarla savaşmakla meşguldüm. Hayalperest bir çocuk, diğerleri yanında melek gibi kalıyordu.*

YALNIZ KALPLİ ÇOCUKLAR KİMİN UMURUNDA?

O gün kendimi okuldan dışarı attığımda gökyüzüne doğru yükseldim ve macera adamı Jay Daniel Bellingham olarak geri döndüm.

Jay, köşeye yaklaştığında ev genel merkezini arayıp okulda yapması gereken bir ödevi olduğunu ve akşam geç geleceğini söyledi.

Ev genel merkezi bu durumu pek umursamadı. Bu da Jay Daniel Bellingham'ın işine geliyordu.

Doğu yönüne giden metroya bindi. Seyahat esnasında vagondaki diğer yolculara göz gezdirdi: Soluk tenli, yarı canlı, gazetelerini okuyan, gündelik işlerinin peşinde, tren hareket ettikçe oradan oraya sallanan yolculara... Bir an için hayatlarında kısılıp kalmış bu insanlar için üzüntü duyduysa da kendini toparladı ve bir lazer gibi keskin olan zekâsını, yapması gereken işe odakladı.

Bilgi: Herkes Jay Daniel Bellingham gibi olamaz. Sıradan biri olmak günah değil tabi, ama yine de Jay böyle olmayı kabul edemez.

Yer altından sokağa çıkınca yanında getirdiği haritaya bir göz attı ve anacaddeden sola dönüp ardından da sağa doğru sakin bir sokağa saptı.

Verilen adrese ulaştığında birkaç saniye tereddüt etti; olağanüstü hayatının en çılgın ve en tehlikeli macerasına atılmak üzere olduğunun farkındaydı.

Öne doğru bir adım attı. En üstteki zilin üzerinde 'Aile-niSeç Ltd.' yazıyordu. Zile bastı. Dahili sistemden bir kadın sesi karşılık verdi.

"Jay Daniel Bellingham," dedi. "Rafiq ile bir randevum var."

Kapı açılma sesi duyuldu. Jay de kapıyı itip içeriye girdi.

4. RÖPORTAJ: *Rick Chancellor*

RICK: *Doğruyu söylemek gerekirse Danny, her zaman şahsi bir macera ile meşguldür. Çocuğun hayal gücü neredeyse derisinden fışkıracak.*

RÖPORTAJCI: *Bu olayın bir tür oyun olduğunu mu düşündün?*

RICK: *Kesinlikle hayır. Danny Bell oyun oynamaz. Onun başına gelen hiçbir şey beni şaşırtamayacak. Hiçbir zaman.*

Asansörün kapıları açıldı. Önümde ufak bir masa duruyordu. Arkasında yirmili yaşlarda, koyu renk saçlı bir resepsiyonist vardı ve sanki o gün başına gelen en güzel şey, benim içeri girmemmiş gibi gülümsüyordu.

"Sen Jay olmalısın," dedi.

"Evet." Ürkek bir şekilde öne doğru bir adım attım. "Rafiq ile bir rande…"

"Tabi ki randevun var. Onun da seni görmek için sabırsızlandığını biliyorum." Telefonun ahizesini kaldırıp tek bir tuşa dokundu. "Jay, Rafiq ile görüşmek için burada," dedi.

Ahizeyi yerine koyup gülümsemesini yeniden yüzüne yerleştirdi. "Şimdi size yardımcı olmak için biri gelecek," dedi.

"Harika."

Bir süre sessizlik.

"Yanımda herhangi bir şey getirmem gerekiyor muydu?" diye sordum.

"Sadece kendini." Resepsiyonistin yüzündeki gülümsemenin sıcaklığı artık neredeyse yakmaya başlayacaktı. "AileniSeç'te mühim olan sensin. Gerisini biz hallediyoruz."

Masanın solunda duran kapı açıldı ve içeri ilköğretim öğrencisi olduğu belli olan –en fazla on ya da on bir yaşında– bir kız girdi.

"Selam Jay," dedi. "Adım Bella, Rafiq'in asistanıyım. Bu taraftan lütfen."

Beni açık dizayn edilmiş bir ofise götürdü. Ofis tam bir arı kovanı gibiydi. Birkaç kişi telefonla konuşuyor, bazıları masa başında bilgisayar ekranına bakıyor, birisi fotokopi makinesinin önünde duruyordu.

Ah, bir şey daha var. Çalışanların hepsi çocuktu. Deli gibi koşuşturulan bu ofiste bir kişi bile 14 yaşının üzerinde değildi.

"Bu da ne? Bir ev ödevi fabrikası mı?" Bella şaşırmış bir şekilde bana baktı. Daha sessiz konuşarak, "Yani," dedim, "buradaki herkes çocuk."

"Biz onları memnun olmuş müşteriler olarak görüyoruz daha çok."

Etrafıma baktım. Hemen yakınımda, önlerinde bilgisayar çıktıları olan benim yaşlarımda dört çocuk, bir masa etrafında oturmuş alçak sesle konuşuyordu.

Bella'ya, "Bu ciddi, öyle değil mi?" dedim. "Yani, bu onlar için bir oyun değil."

Bana, öğrencisi bir soruyu şans eseri doğru bilmiş bir öğretmen gibi gülümsedi.

"AileniSeç çocukları ne zaman eğleneceklerini, ne zaman ciddi olmaları gerektiğini bilirler," dedi. "Sonuçta bizler şanslı insanlarız. Hayatın büyük sırlarından birini keşfetmiş bulunuyoruz." Sesini alçalttı. "Anne babalar çocuklarının hayatlarını bir tür hapishaneye çevirebilirler. Biz ise özgürlüğün anahtarına sahibiz. Çocukluk seçim yapabilmek demektir."

Bella, camdan yapılmış bir kapıya doğru yürüdü. "AileniSeç'te müşterilerimizi diğer çocuklara yardımcı olma konusunda teşvik ederiz."

Daha fazla soru sormama fırsat bırakmadan beni bir odaya soktu. "Otur Jay," dedi. "Rafiq birazdan seninle olacak."

Masanın önünde duran sandalyeye oturdum ve etrafıma bakındım. Ofisin duvarlarında anne, baba, bir veya birden fazla çocuktan oluşan büyük ve çerçevelenmiş aile fotoğrafları vardı. Bir tanesinde bir köpek, objektife sevimli bir poz veriyordu. Sanki mutlu bir ev hayatı fotoğraflarla kutlanıyordu.

Arkamdaki kapı açıldı.

"Jay Daniel Bellingham."

Bir genel müdür kadar iyi giyinmiş Asya kökenli ufak tefek bir adam, yüzünde sıcak bir gülümsemeyle içeri girdi, elimi sıktı ve masanın öteki tarafındaki koltuğa oturdu. Altında çalışanların aksine, yetişkin biri olduğu belli olsa da yine de oldukça genç gösteriyordu; olsa olsa yirmili yaşların başlarında olabilirdi.

"Merhaba," diyerek rahatça koltuğuna gömüldü. "Fotoğraflara mı bakıyordun?"

"Evet."

"Mutlu müşteriler," dedi. "Büyük AileniSeç yuvasının üyeleri. Aslında onlar müşteriden de öte, arkadaşlarımız.

Bazen yeni hayatlarında olup bitenleri anlatmak için ofise uğrarlar. İşte biz böyle bir yeriz."

"Burada çalışan insanlar oldukça... genç görünüyorlar."

Rafiq güldü. "Sadece okuldan sonra çalışıyorlar. Daha önce yardım ettiğimiz çocuklar. AileniSeç'in davetini kabul edip hayatını değiştirmemize izin verirsen belki bir gün sen de geri dönüp bize yardımda bulunmak istersin. Paylaşmak gibisi yok."

Rafiq'e kendisinin neden okulda olmadığını sormak istedimse de o kendini, kaptırmış konuşuyordu: "Sana bir soru sorayım." Pencereden dışarı baktı. Düşüncelerini topluyor gibiydi. "Sence aile nedir?"

"Anne, baba, kardeşler... bildiğin şeyler."

Rafiq'in gülüşünden, verdiğim cevabın yanlış olduğunu anlayabiliyordum.

"Tamam, başka bir yol deneyelim," dedi. "Peki evlilik nedir?"

"Bir adam ve bir kadının bir araya gelip karı ve koca olmalarıdır." Masanın karşı tarafına baktım. Daha fazla konuşmam gerektiği belliydi. "Ama, eğer..."

Rafiq parmaklarını şaklatıp işaret parmağını bir tabanca gibi bana doğru yöneltti:

"Zeki olduğunu biliyordum Jay. Karı ve kocadırlar... Ama eğer değillerse?" Öne doğru eğildi ve gülümsedi. "Anne babamın AileniSeç fikrini bende nasıl uyandırdıklarını duymak ister misin?"

"Sanırım."

"Babam bir taksi şoförüydü. O kadar sessiz biriydi ki, sofrada tuzu istemesi bile bizim için büyük bir olaydı. Annem ailenin yaşama sevinciydi, ruhuydu. Sonra bir gün bir sigorta satış mümessili ile kaçtı."

Bu hikâyenin nereye varacağını hâlâ kestirememiş bir halde, "Ne kadar kötü!" dedim.

Sesinde garip bir neşeyle, "Bir açıdan öyle," dedi, "ama başka bir açıdan ise değil. Birkaç ay sonra babam bir çöpçatanlık ajansına başvurdu. Birkaç hatalı başlangıçtan sonra ona Sonia adında, Willesden'li, boşanmış bir kadın buldular. Birbirlerine âşık oldular ve şu anda çok mutlular. Babamın hayatı Yalnız Kalpler Ajansı sayesinde değişti."

Maddy'nin annesini düşünerek, "Yalnız Kalpler hakkında epey bilgim var," dedim.

Rafiq, "Harika," dedi. Birbirlerini tanımayan insanların bir ilişkiye başlama amacıyla buluşmaları konusunda ne bildiğimi ve bu bilgiyi nasıl elde ettiğimi öğrenmeye pek hevesli olmadığı açıkça görülüyordu. "Bu durum beni düşünmeye yöneltti. Yalnız kalpli bir adam veya kadın, hayatını rayına oturtabilecek birini arayabiliyorken –ve kendilerini kaybolmuş hisseden büyükler için bir endüstri ortaya çıkmışken– çocukların ne eksiği var? Yalnız kalpli çocuklara kim yardım edecek? Küçük kalpler de kırılabilir. Öyle değil mi Jay?"

"Sanırım öyle."

"On dokuzuncu yüzyılda küçük çocuklara baca temizlettirirlermiş. Ama yirminci yüzyıl da kendi çapında aynı derecede kötüydü. İnsanlar çocuk hakları konusunda konuşup duruyorlardı, ama iş uygulamaya geldiğinde on altı yaşının altındakiler, baca temizleyen o çocuklar kadar güçsüz ve çaresizdiler. İşte ben de bu yüzden AileniSeç'i kurdum."

"O kadar kolay mıydı?"

Rafiq omuzlarını silkti: "Kısa zaman sonra doğru yolda olduğumu anlamıştım. İş dünyası konusunda tecrübeli birkaç arkadaşım vardı. Devletten de destek aldık."

"Devlet? Politikacılar çocukların evden ayrılmaları fikrini destekliyor mu?"

"I-ıh. Yanlış Jay." Rafiq işaret parmağını salladı. "Evden ayrılmak değil, yuva *bulmak*, doğru yuvayı… Bakanlar bu fikrin yaygın olarak benimsenmesinin biraz zaman alacağını kabul etseler de, çocukluğun seçim yapabilmek demek olduğuna inanıyorlar. Onların düşüncesine göre AileniSeç deneyi herkesi memnun edebilir; eğer başarılı olursa tabi. Çocuklar kendi yetiştirilişlerinde söz sahibi olacaklar; tarihte ilk defa evlerinde onlara da söz hakkı verilecek. Ebeveyn ve çocuk arasındaki ilişkilerin iyileşmesi sayesinde sokaklarda suç oranı, vandalizm* ve kirlilik azalacak. Devlet, iyi bir toplumun iyi aileler ile mümkün olabildiğine inanıyor. Ve biz de burada devreye giriyoruz."

* Eski kültür ve sanat anıtlarını yakıp yıkma düşünce ve davranışı.

"Geride bırakılan aileler ne olacak peki?"

"Çoğu zaman onlar da bir nevi rahatlıyorlar. Zehirli ilişkilere kimin ihtiyacı vardır ki? AileniSeç ile her iki taraf da kazanıyor."

"Ama…"

"Bak ne diyeceğim…" Rafiq saatine baktı. "Sana bu tür bilgileri daha sonra da verebilirim. Şimdi senin kaydını almak istiyorum." Bir kalem alıp masasının üzerinde duran A4 boyutundaki bloknotu açtı. "Bana kendinden bahset Jay Daniel Bellingham."

Bahsettim. Gloria Konutları No:33'teki yaşamı, hafifletilmiş bir şekilde anlatırken babamın içki problemi ve iki yıl üç aydır evden dışarı adımını atmaması, annemin yokluğu ve Kirsty'nin öfke nöbetleri konularında birazcık eksik bilgi verdim. Benim anlattığım şekliyle Bellingham/Bell ailesinde hayat sadece biraz sıkıcıydı, o kadar.

Bitirdiğimde Rafiq konuşmadan bana bakmaya devam etti; sanki benim, gerçeklerin yalnızca yarısını anlattığımı ve eğer yeterince beklerse, orada sessizlik içerisinde oturmanın verdiği utanç yüzünden dayanamayıp her şeyi itiraf edeceğimi biliyor gibiydi.

Ve bir an neredeyse işe yarayacaktı. Tam pes etmek –annemi ne kadar özlediğim, ailenin bütün problemlerini çözmeye çalışmanın ne kadar yalnız hissettirdiği veya evin artık bir yuva olmaktan çıktığı konusunda bir şeyler söylemek– üzereyken bir anda kim olduğumu hatırladım.

Jay Daniel Bellingham'ı konuşturmak için, eski bir metot olan sessizlik yönteminden daha fazlasına ihtiyaç vardı.

Hiç acele etmeden, son derece havalı bir şekilde, "Sanırım biraz ortam değişikliğine ihtiyacım var," dedim.

Rafiq doğruldu ve önündeki kâğıda bir şeyler karaladı. "Müşterilerimizin çoğu böyledir," dedi. "Hayatları büyük bir dram halinde değildir. Günleri kâbus gibi geçmez. Yalnızca farklı ihtiyaçları vardır. Gözleri, daha fazlasını hak ettikleri gerçeğini görmeye başlamıştır. Çocukların da önemli olabileceğini keşfetmişlerdir."

"Çocukluk seçim yapabilmek demektir."

Rafiq, sanki onu pek de ciddiye almadığımdan şüphelenmişçesine gözlerini kıstı. "Evet, biz böyle düşünüyoruz." Kalemini masaya bıraktı. Benim hakkımda bir değerlendirme yapıyor gibi görünüyordu.

"İnsanın hayatını değiştirmesi zor bir şeydir," dedi. "Bunu herkes yapamaz. Ancak AileniSeç'i denemeye cesaret edenler sadece kendilerine değil, etrafındakilere de yardım ederler. Eğer sen mutluysan, hayatındaki diğer insanlar da daha mutlu olacaklardır. Bu basit bir mantık hesabı. Mutluluğunu etrafa yayacaksın. Mutlulukta şansını denemeye hazır mısın?"

Bu fikri bir saniye boyunca düşündüm ve beğendiğime karar verdim. "Evet, hazırım," dedim.

Ayağa kalktı ve canlı bir şekilde, "Bu kadar konuşma yeter. Haydi gidip sana bir aile bulalım," dedi.

Açık ofise girip parmaklarını bilgisayar klavyesinde gezdirmekte olan on dört yaşlarındaki bir kıza doğru yöneldik. Rafiq, kıza "Hey, Tracy!" diye seslendi.

Tracy bize doğru döndü. Geniş yüzlüydü, gözlük takıyordu ve gülüşü her nedense, Rafiq'inkinden daha sıcak ve samimi görünüyordu.

"Bu Jay. Onun hakkında daha önce konuşmuştuk. Kendisi için 2B dosyasından başlamak uygun olur diye düşünüyorum."

"Olur." Tracy beni şöyle bir süzdü; benim ihtiyacım olan aileyi kestirebilmek için bana bakması yeterliydi sanki. "Oradan başlarız ve nasıl gittiğine bakarız."

Rafiq, dost canlısı bir şekilde omzuma vurdu. "Bu işi size bırakıyorum," deyip arkasını döndü ve ofisine girip gözden kayboldu.

5. RÖPORTAJ: *Tracy Wiseman*

TRACY: *Danny'den —ya da Jay'den veya o sırada kendine ne isim taktıysa işte— hoşlanmıştım.*

RÖPORTAJCI: *Ofiste karşısına çıkanlar onu şaşırtmış gibi görünüyor muydu?*

TRACY: *Pek değil. Sizin de bildiğiniz gibi, Rafiq bu tarz işlerde çok iyidir. İnsanları rahat hissettirir. Projenin bana düşen kısmını yapmaya başladığımda Danny, AileniSeç fikrini çoktan benimsemişti bile.*

RÖPORTAJCI: *Sizin bu durum hakkında hisleriniz nasıldı?*

TRACY: Çok iyi. Biraz küçük ve utangaç görünmesine rağmen Danny'nin güçlü bir kişiliğe ve espri anlayışına sahip olduğunu görebiliyordum. Bence mükemmel bir seçimdi.

RÖPORTAJCI: *Sizin için de kariyeriniz açısından iyi bir hareketti, öyle değil mi?*

TRACY: Tabi ki. Eninde sonunda hepimiz kendimize bakmak zorundayız. AileniSeç benim için kesinlikle büyük bir adımdı.

2734TS AİLESİ

"Önemli olan paniğe kapılmamaktır." Tracy, yanına bir ofis sandalyesi çekti ve ekrana döndü. Bilgisayarının faresini oynatıp çift tıkladı.

Sandalyeye oturdum, "Tracy, bu delilikten de öte," dedim.

Güldü. Ben bir kez daha onun daha açık ve daha az savunmacı bir tavrı olduğunu hissettim. "Evet, delilik olduğu doğru. Ama işe yarıyor. Bundan bir sene önce, beslenme bozukluğu olan ve ailesi yüzünden çıldırmasına az kalmış bir kızdım. Şimdi ise yeni bir ailem var ve hayatım tek kelimeyle harika."

"Eski aileni özlemiyor musun?"

"Tabi ki özlüyorum. Ama zaten onları haftada bir ziyaret edip son haberleri alıyorum. Bazen annemin gözleri dolsa da bu olanların benim için en iyisi olduğunun farkında. Bazen bir anne babanın yapabileceği en iyi şey, işleri oluruna bırakmaktır."

"Hımm." O an, yeni ailemden izin alıp Gloria Konutları No:33'e bir ziyaretçi olarak geri döndüğümü hayal etmeye çalıştım. Annem geri dönmüş, babam ile birlikte salondaki kanepede oturuyordu. Kirsty televizyonun önündeki koltuktaydı. Ortalık daha derli topluydu. Olanların garipliğine gülüyorduk. Sonra muhabbet etmeye başlıyor, birbirimize son haberleri veriyorduk; sanki benim orada olmamam açıklanamaz bir biçimde aile bağlarımızı güçlendirmişti.

Belki de –işte size garip bir düşünce– ben tam zamanlı bir evlat olmak yerine yarım zamanlı bir misafir olsaydım sanki daha iyi geçinecektik. Son zamanlarda babam ya da Kirsty ile beraberken ya da telefonda annemle konuşuyorken, sanki onların işlerine engel oluyormuşum hissine kapılmaya başlamıştım. Ben yardım etmeye çalışırken bile, Kirsty hayatta en çok sevdiği cümle haline gelen cümleyi patlatıveriyordu:

"Sen son derece... *gıcık* bir çocuksun Danny."

Bazen annemin evden uzakta vakit geçirmek istemesinin gerçek sebebinin bu olduğunu düşünüyordum. Çünkü son derece... *gıcıktım*.

Tracy bilgisayara bazı rakamlar girmekle meşguldü. Ekranda uzun bir rakam listesi belirmişti.

"Dışarıda bir yerlerde Jay Daniel Bellingham için mükemmel bir aile seni bekliyor," dedi.

"Bu ailelerin isimleri yok mu?"

"Güvenlik sebebiyle onlara sadece kod numaraları veririz. Bir göz atmak ister misin?"

Başımı evet anlamında salladım.

"İçimden bir ses... 2734TS'nin sana uygun olduğunu söylüyor."

İmleci oynattı ve çift tıkladı. Ekranda bir aile fotoğrafı belirdi: otuz yaşlarında, tişört giymiş, normal görünümlü bir çift, önlerinde ise Robbie yaşlarında, kucağında kedi tutan bir çocuk. Bahçelerinde durmuş, güneş yüzünden gözleri kısık bir şekilde kameraya bakarlarken bir şeylerden gurur duyuyor gibiydiler; neredeyse üzerlerinde bir kendini beğenmişlik vardı.

"Bu aile normal," dedim. "Belki de biraz fazla normal."

"Pardon Jay," dedi Tracy. "AileniSeç kayıtlarında garip tipler bulunmaz. Normal iyidir. Normal, bizim aradığımız şey."

"Başka bir tane dene," dedim.

Tracy ekrandaki pencereyi kapatıp bir yenisini açtı. Bu seferki fotoğrafta masa etrafında toplanmış bir grup vardı. Kırk yaşlarında bir kadın, gülümsemekte olan ufak tefek ve kelimsi bir adamın fincanına çay koyarken bir yandan da gülüyordu. Her iki yanlarında da birer genç kız oturmuştu; fotoğraf makinesini görmezlikten gelmeye çalışıyor gibiydiler.

Tracy, "Onlar hakkında daha fazla bilgi istersen söyle," dedi.

Huzursuz bir şekilde, "Bilmem ki," dedim. "Bu iş biraz alışveriş yapmaya benziyor."

Tracy başka bir dosya açmıştı. Bu seferkiler –evlerinin girişinde, önlerinde duran bir labrador ile poz vermiş, takım elbiseli babayla şık bir ceket ve etek giymiş anne– cidden ürkütücü görünüyorlardı.

"Hepsi de tıpatıp birbirine benziyor," diye fısıldadım. "Köpek bile. Üzgünüm Tracy, beni köpeğe benzetecek bir aileye gitmeye hiç niyetim yok."

Tracy'nin fırlattığı bakışın ciddiliği, yüzümdeki gülümsemeyi siliverdi. "Biz burada bir aile bakıyoruz Jay," dedi. "Şakanın sırası değil."

Başımla monitörü işaret ederek, "Bu insanları nasıl buldunuz?" diye sordum.

"Onu daha sonra konuşuruz." Tracy numara listesinde aşağıya doğru gidip çift tıkladı.

6. RÖPORTAJ: *Jonathan ve Belinda St. Aubyn*

JONATHAN: *Bomba bir fikirdi, çok heyecanlandık. Bu olay hakkında bizimle temasa geçildiğinde katılmakta bir an bile tereddüt etmedik. Ailemizin sloganı "Yap da görsünler!"dir.*

BELINDA: *Arkadaşlarımızın birçoğunun bu ebeveynlik şeyiyle ilgili sorunları var, ancak her nedense biz bu konuda gerçekten iyi gibiyiz. Oğlumuz James, okulunda her konuda birinci; başarısı bizi neredeyse utandıracak seviyede. Biz de, madem öyle, neden bunu paylaşmayalım, diye* *düşündük. James'e de aynı şeyi söylüyoruz. Yarış?.. Güzel. Kazanmak?.. Harika. Ama eğer en tepeye çıktıysan paylaşmayı unutma.*

RÖPORTAJCI: *Size kimin geleceği konusunda bir fikriniz var mıydı?*

BELINDA: *Bir erkek çocuk olacağını söylediler, ama onun dışında bilgimiz sıfırdı. Çocuğun iyi biri olacağını biliyorduk. AileniSeç bize küçük bir manyak yollamayı göze alamazdı, değil mi ama?*

RÖPORTAJCI: *Bu plan gerçekleşmeyince neler hissettiniz?*

BELINDA: *Ne yalan söyleyeyim, biraz rahatladım.*

JONATHAN: *O zamanlar iyi bir fikir gibi gelmişti, ama şimdi unuttuk gitti bile. Bu da başka bir aile sloganıdır: Yap da görsünler, ama yapamıyorsan da "Unut gitsin."*

Ekranda başka bir mutlu aile görüntüsü vardı. Şehir dışındaki bir evin kocaman bahçesinde bir yaz günü fotoğrafıydı. Baba –kırklarında, biraz kilolu, saçlar omuzlarda, Arsenal takımının formasını giymiş– dokuz on yaşındaki bir çocuğa pas veriyordu. Geri planda ise anne çimlere yatmış, onları izliyordu.

Tracy, "Ne düşünüyorsun?" diye sordu.

Omuz silktim. "O yaştaki bir adamın futbol takımı forması giymesi pek de iyiye işaret değil."

Tracy kafasını sallayarak imleci babanın üzerine götürdü ve tıkladı. Adamın yüzünün yakın plan görüntüsü ile birlikte bir yazı belirdi. Şöyle diyordu:

"Hey, ben Jonathan, ama çete beni Jonno diye çağırır! Size ne anlatabilirim? Müzik işindeyim. Karım Belinda ve oğlum James ile Londra yakınlarında harika bir yer olan Esher kasabasında yaşıyorum. Birkaç tane arabamız var, buna üstü açık bir BMW de dahil. Ben çok havalı olduğunu düşünsem de ailenin geri kalanı bunun benim yaşımda bir adam için biraz üzücü bir durum olduğunu düşünüyor. Müzikten (doğal olarak) ve futboldan (Arsenal çok yaşa!) hoşlanıyorum. Arkadaşlarım çocuk ruhlu olduğumu söylüyorlar. Burada hayat oldukça kıyak; ama sen de çetemize katıldığın takdirde daha da harika olacak. Biz kendimizi bir aileden çok şans eseri beraber yaşayan birkaç arkadaş gibi görüyoruz! İki kişi arkadaş, üç kişi kalabalıktır derler; sen de katılınca tam bir cümbüş olacak!"

Tracy, "Ne düşünüyorsun?" diye sordu.

Düşündüğüm –ama kendime sakladığım– şey, bunun berbat bir fikir olduğu, Jonno ve çetesiyle yaşamak bir yana, tanışmak bile istemediğimdi. Yine de sadece, "Bu aile hakkında düşünmek için biraz zaman verebilir misin?" dedim.

Monitörü kapatıp bana döndüğünde aniden ciddileşti. "Başka bir yol daha var," dedi. "Veri tabanımızdaki ailelere her ay bir bülten yollarız. İçinde AileniSeç'in nasıl büyüyüp geliştiğine dair haberler bulunur. Ayrıca yeni aile arayan çocukların –tıpkı gazetelerdeki Yalnız Kalpler sütunu gibi– bir listesi bulunur."

"Yani kendim hakkında bir ilan yazacağım."

"Aynen öyle. Kısa tut ve sadece genel bilgiler ver; nasıl bir insan olduğun ve ne tür bir aile aradığın hakkında fikir versin."

"Sonra ne olacak?"

"Aldığın yanıtlara göre tanışmak istediğin insanları seçeceksin. Bu sana kontrolü biraz daha fazla elinde bulundurma imkânı sağlar. Bence bu yol daha iyi; onlar seni seçeceğine sen onları seçiyormuşsun gibi."

Sanki odasına bir sinyal yollanmış gibi aniden Rafiq göründü. "Çalışma yöntemimiz hakkında ne düşünüyorsun?" diye sordu.

"Etkileyici." Kibarca gülümsedim.

Tracy elini uzattı. Zamanımın dolduğunu hissedip elini sıktım.

"Kısa bir süre sonra görüşmek umuduyla Jay," deyip gülümsedi.

Rafiq'i ofisten asansörlere kadar takip ettim.

Asansörün gelmesini beklerken alelade bir şekilde,

"AileniSeç fırsatı büyük bir adımdır," dedi. "Bazıları buraya gelir ve sonunda risk almamaya karar verip eski aileleriyle kalmayı tercih ederler; biz de bunu gayet normal karşılarız, onu da belirteyim."

Benim bir şey söylememi beklermiş gibi durakladı.

"Peki ya diğerleri?.."

"Bir de hayatlarını değiştirecek cesareti olan insanlar vardır. 'Ruh arkadaşı' sözünü duymuş muydun? Biz de AileniSeç ekibi olarak herkesin, gerçek potansiyelini ortaya çıkartacak bir 'ruh ailesi' olduğuna inanıyoruz."

Asansör geldi ve metal kapıları iki yana açıldı.

"Biyolojik aile mi, yoksa ruh ailesi mi Jay?" Rafiq eski bir dost gibi yavaşça omzuma vurdu. "Düşün ve bizi ara."

Arkasını döndü ve yavaş adımlarla AileniSeç ofisine doğru yürüdü. Ben de asansöre binip zemin kat düğmesine bastım.

ARKADAŞLARIM ARAMASINLAR

Sokağa çıkıp Jay Daniel Bellingham kimliğimle henüz birkaç adım atmışken, aniden ve habersizce gri bir 'Danny'lik bulutu üzerime çöküverdi. AileniSeç bir fantezi değildi. Gerçekti. Vermek zorunda olduğum karar Jay için değil, Danny içindi.

Metroya bindim ve bir durak önce indim. Ruh ailesi ve çocuklara seçenek sunma işi hakkındaki tüm bu konuşmalardan kafamı temizlemek için birkaç sokak yürümeye ihtiyacım vardı. Annemin, arkadaşı Debbie ile beraber kaldığı büyük evin önünden geçen yoldan eve doğru yürüdüm.

ANNEM HAKKINDA ON ÖNEMLİ MADDE

1. Tüm hayatı boyunca hiçbir dişine dolgu yaptırmak zorunda kalmadı.

2. İşyerindeyken, kızlık soyadı olan Griffith'i kullanıyor, çünkü insanların Gallilerden hoşlandığını, kocasının soyadı olan Bell'in ise onu sıkıcı biri gibi gösterdiğini düşünüyor.

3. Saçlarını boyuyor ve buna, üzerinden geçmek, diyor.

4. 'The Dukes of Hazzard' dizisinde oynamış Amerikalı bir kuzeni var.

5. Vejetaryen, ama bazen tavuk yiyor.

6. Bay Wenham adında bir emlakçı ile çalışıyor. Ortaklığa terfi ettiğinde, ortak sözcüğünü söyleyişi, üç yaşında bir çocuğun dondurma deyişine benziyordu.

7. Babamla, babamın grubunun Rod Stewart'a alt grup olarak çıktığı dönemde, bir partide tanışmışlar. Üç hafta sonra evlendiklerinde Rod onlara tebrik kartı yollamış.

8. Okul çağı çok mutsuz geçmiş; okulların hâlâ tüylerini diken diken ettiğini söyler.

9. O bir balık burcu; hırslı ve kararlı biri olmak anlamına geldiğini söylüyor.

10. Bundan bir yıl on ay önce evi terk etti.

Belki bu listeye birkaç önemli nokta daha —okuldaki hiçbir veli toplantısına katılmamış olması veya evi, bir emlak firmasında kariyer yapmak için terk etmesi gibi— ekleyebilirim; ama bu size yanlış bir izlenim verecektir.

Bilgi: Bu annelik işini yürütme konusunda biraz sorun yaşaması haricinde annem aslında komik ve ilginç bir insandır. Onun düşüncesine göre kendisi bir anneden çok, bir dost gibidir.

Yaşadığı evin girişinde bir an durakladıysam da yürümeye devam ettim. Çok büyük bir ihtimalle hâlâ işteydi.

Her evin kendine has, bir parmak izi kadar belirgin ve hususi bir kokusu vardır. O gece saat sekizi geçtikten bir süre sonra eve girdiğimde, Gloria Konutları No:33'ü oluşturan tütün, bira, çorap ve yanık pizza kokularının eşsiz karışımı yüzüme tüm gerçekliğiyle çarptı.

Babam divanda, gitarının üzerine çökmüş, kayıtsızca televizyondaki bir hastane dizisini seyrediyordu. Yanında Robbie ağzı açık bir şekilde uyuyordu. Bir zamanlar yumurtalı ekmek konulduğu belli olan bir tabak, kanepenin kenarında tehlikeli bir şekilde dengede durmaktaydı.

Tabağı mutfağa götürüp geri geldim, sonra da oturup babam ve kardeşimle dizi seyredermiş gibi yapmaya başladım.

Babam sanki her zamankinden farklı bir ruh halinde olduğumu anlamış gibi bana döndü. "Haydi bakalım," dedi ve gitarına uzandı. "Bu öğleden sonra bir şarkı yazdım."

"Harika. Dinleyelim öyleyse."

Mahzun bir şekilde tellere dokunmaya, sonrasında da kalın ve hırıltılı bir sesle şarkısını söylemeye başladı:

"Yalnız kalmak istiyorum
Arkadaşlarım aramasınlar
İsterlerse Üçüncü Dünya Savaşı'nı ilan etsinler
Umurumda değil
Yeter ki beni yalnız bıraksınlar."

"Sanırım ben bunu daha önce duydum," dedim.

Babam, "Tamam ama fark burada," dedi. "Yepyeni bir kıta yazdım. Yalnız kalmak istiyorum..." Şimdi daha yüksek sesle söylüyordu:

"Bir adamın özgürlüğüdür bu
Korkmayın kendime zarar vermem
Çünkü enerjim uçtu."

Gitarı kenara koydu. "Çok sağlam bir parça bu," dedi. Birasından birkaç yudum aldı. "Bir gün mutlaka bitirmeye uğraşmalıyım."

Robbie'nin kolunu dürttüm. "Yatak zamanı," dedim. "Babaya bir iyi geceler öpücüğü ver."

"Gel buraya evlat." Babam sol kolunu Robbie'nin boynuna dolayıp sarıldıktan sonra gitarının başına döndü.

O gece bir türlü uyuyamadım. Gözlerimi her kapattığımda Tracy'nin bilgisayar ekranındaki aileyi –ve çetelerine katılacak birini arayan uzun saçlı, futbol fanatiği babayı– gördüm. Ama bu seferki görüntüde başka biri de vardı: ben. Diğerlerinden biraz uzakta durmuş bakıyor, yalnız bir kalp olarak hâlâ ruh ailemi hayal ediyordum. Jay Daniel Bellingham ise ortalıkta görünmüyordu.

Sabaha karşı Kirsty'nin eve geldiğini, sonrasında da salonda seslerin yükseldiğini duydum. Yaklaşık on dakika sonra ise ev yeniden sessizliğe bürünmüştü.

Yatağımda oturup vereceğim ilan üzerinde çalışmaya başladım. Beş dakika bile sürmedi.

---

13 yaşında, giyinmesini bilen ama moda kurbanı olmayan JAY, arkadaşlık/ebeveynlik yapmak isteyen 35–45 yaşları arasında bir çift arıyor.

Hitlerci, hippi veya vejetaryenseniz lütfen başvurmayın.

Espri anlayışınızın olması zorunludur.

Başvuru no: 10030

Bitirdiğimde, yatağımın yanındaki komodinin üzerinden cep telefonumu aldım. Arka cebimden Rafiq'in kartını bulup ofis numarasını çevirdim.

"Merhaba, ben AileniSeç'ten Rafiq. İsminizi ve telefon numaranızı bıraktığınız takdirde mümkün olan en kısa sürede size ulaşmaya çalışacağım."

"Ben Jay Daniel Bellingham," dedim. "Düşündüm taşındım. Kabul ediyorum."

7. RÖPORTAJ: Rafiq Asmal

RAFIQ: *Bu oyunda insan doğasını iyice öğreniyorsunuz. İnsanların ya iş bitirici ya da hayalperest, ya oyuncu ya da seyirci, ya köpek balığı ya da denizanası olarak ikiye ayrıldıklarını fark ediyorsunuz. Görünüşüne rağmen*

–kabul etmek gerekir ki çocuk bir baltaya sap olabilecek birine benzemiyor– Danny Bell bir iş bitirici, bir oyuncuydu. Hatta az bir yardımla köpek balığı bile olabilirdi. Elde etmek istediği takdirde büyük bir geleceği vardı. İşte biz de bu sebepten onu seçtik.

RÖPORTAJCI: Nasıl bir olayın içine girdiği konusunda onu uyardınız mı?

RAFIQ: Bu konuda bilgisi zaten vardı. Ona her şeyi kelimesi kelimesine söylememin gereği yoktu.

RÖPORTAJCI: Bu tarz bir iş için oldukça gençti ama.

RAFIQ: Üstesinden gelebileceğini biliyorduk. Telefonu gecenin ortasında geldi. Onunla ertesi gün konuştuğumda, küçük ilanını hazırlamış olduğunu gördüm. Şirindi; kısa ve öz yazmıştı. Hitler kelimesi ile ilgili ufak bir problemimiz oldu, ama sonunda o şekilde kalmasına karar verdik.

RÖPORTAJCI: Sonra da planınızı kurdunuz.

RAFIQ: Tabi ki. Hemen harekete geçtim; Rossini'nin Yeri, aileler, her şey hazırdı. Tam gaz gidiyorduk.

RÖPORTAJCI: Ve bunu yaparken 'kendiniz oluyordunuz'.

RAFIQ: Öyle de diyebilirsin. Bana göre, biz geldiğimizde küçük Danny Bell uçmayı bekliyordu. Biz sadece ona bir çift kanat verdik.

ŞİMDİ İSTİYORUM

Rafiq beni ertesi gece cep telefonumdan aradığında Sunnybrook Parkı'na, Rick ile buluşmaya gidiyordum.

Sanki bir gece önceki konuşmayı devam ettiriyormuş gibi, "Tamam," dedi. "Yapman gereken şu: Cumartesi günü ailelerinle buluşacaksın."

"Aileler?.." Yürümeyi kestim. "Tam olarak kaç tane ailem olacak?"

Güldü. "Aile adayları. AileniSeç fırsatından yararlanırken istemediğin hiçbir şeyi yapmak zorunda değilsin. Bunu unutma."

"Unutmam."

"Notting Hill'de Rossini'nin Yeri adında bir kafe var. Ben sana adresi ve gereken bilgileri yollayacağım. Cumartesi sabahı saat onda Bay ve Bayan Marchant adında bir çiftle buluşacaksın. Seninle yaklaşık yarım saat beraber olacaklar. On bire çeyrek kala Bay ve Bayan Burt–Williams, on bir buçukta ise Musson'lar gelecek. On ikiyi çeyrek geçe de Bay ve Bayan Harrison ile görüşeceksin."

"Dört aile? Birbiri ardına?"

"İşleri biraz hızlandırdık Jay. Senin de bunu istediğini düşünüyordum."

"Doğru." Acelem olduğu konusunda daha önce hiçbir şey söylemediğim aklıma gelmişti, ama bu önemsiz konunun üzerinde durmak istemedim. "Ne yapacağım?"

"Sohbet edeceksin. Onlara sorular soracaksın. Kendin olacaksın..." Sesinde çok hafif bir alaycılık sezmiştim. "Jay Daniel Bellingham, bu ailelerden herhangi birinin senin ruh ailen olma ihtimali düşük de olsa, bu görüşmeler sana tecrübe kazandıracak. Öğrenme eğrisi üzerinde sörf yapıyorsun Jay."

Sunnybrook Parkı'na girdim, her zamanki bankımızda beni bekleyen Rick'e doğru yürümeye başladım.

Rafiq'e, "Garip görünmeyecek mi?" diye sordum.

"Garip görünecek olan da neymiş?"

"Benim bir restoranda oturmam ve büyüklerin benimle görüşmek için girip çıkmaları. Biraz acayip değil mi?"

"O konuda endişelenmene gerek yok. Rossini'lere bu konuda bilgi verildi. Onlar da bizden. Evlerinde, Aileni-Seç'e başvurmadan önceki ismi Michael olan Mario adında bir çocukları var. Seni kollayacaklardır."

"Anlıyorum."

"Görüşmeler devam ederken boş vakit bulduğunda beni arayıp gelişmelerden haberdar et. Cep telefonum açık olacak."

"Peki... Teşekkürler Rafiq."

"Benim için bir zevkti."

Rick'in yanına oturduğumda hâlâ Rafiq ile yaptığım telefon görüşmesini düşünüyordum.

Bir süre sonra Rick bana baktı, "Bir sorun mu var?" diye sordu.

Başımı hayır anlamında iki yana salladım. Ona Aileni-Seç'ten bahsetmek için uygun bir zaman değildi. "Senin hayatın nasıl gidiyor?"

"Her zamanki gibi," dedi. "Annem yine sessiz dönemlerinden birine girdi. Konuştuğu tek kişi var, o da televizyonda hava durumu sunan adamlardan biri."

"Ciddi misin?"

"Sunucunun her gece yalnızca onunla konuştuğuna kendisini inandırmış durumda. Adam alçak basınç bölgelerinden bahsederken annem ona yorgun göründüğünü ya da o kravatın üzerinde hiç de iyi durmadığını söylüyor. Ortada oldukça ciddi bir ilişki söz konusu."

Başımı eğdim. Rick'in annesi hassas konulardan biriydi; bazen onun hakkında konuşurken Rick sanki gereğinden fazla sır ortaya dökmüş gibi birden kabuğuna çekilirdi. Onu bir kere görmüştüm: Biri tarafından az önce ciddi bir şekilde hakarete uğramış gibi bir yüz ifadesi olan iri yarı ve asabi bir kadındı. Birayı sevdiğini, başka çocuğu olmadığını, sırf kendisi kötü bir gün geçirdiği için arada sırada Rick'e tokat attığını biliyordum. Ciddi sorunları olan bir kadındı işte; söyleyecek başka ne vardı ki?

Hava kararmak üzereydi ve aylardan mayıs olmasına rağmen ayaz vardı; ancak Rick soğuğu hissetmiyor gibiydi.

Arkasına yaslanıp etrafına bakındı ve, "Eski dost Sunnybrook," dedi. "Bu parka isim koyan kişinin müthiş bir espri anlayışı olmalı."

Gülümsedim. Rick'in en güzel minyatürlerinden bir tanesi bu parkın kuşbakışı görünümüydü. Parkta ne varsa resimde de vardı: sarhoşlar, çöpler, çim üzerinde öpüşüp koklaşan çiftler, ağaç kenarına çömelmiş bir köpek, futbol oynayanlar, çocuk parkındaki anneler... Ama Rick'in gözüyle bakıldığında o park nasıl oluyorsa oluyor, hayal edebileceğiniz en güzel, en düzenli görüntü halini alıyordu. Bu çocuk garip ama harika bir hayal gücüne sahipti.

Öylesine konuşuyormuş gibi, "Yaşadığın yeri değiştirme şansın olsaydı değiştirir miydin?" diye sordum.

"Şehir dışında yaşamaya hayır demezdim." Rick durdu, bir an için hayal etmeye koyuldu. "Ama annem şehri hayatta terk etmez."

"Peki ya onu da değiştirebilseydin? Yepyeni bir ailen olsaydı?"

"Olmaz." Kafasını iki yana salladı. "Evin alışverişi için bana ihtiyacı var. Bensiz ne yapacağını bilemez."

"Ama sen de bir insansın. Senin de bir hayatın olmalı, öyle değil mi?"

Bana daha yakından baktı. "Derdin bu mu senin?" diye sordu.

Başımı hayır anlamında iki yana sallayıp sustum.

"Evden topuklamayı falan mı düşünüyorsun yoksa?"

"Hayır," dedim, "ama belki bazı şeyleri azıcık değiştirebilirim."

"Değişiklik her zaman iyi bir şey olmayabilir. Değişim, işleri daha kötü de yapabilir. Bana sorarsan, en azından hayatta nerede durduğumu biliyorum. Okul bittiğinde problemlerimi halledebilirim."

"Bu iş bir an önce bitmeli," diye homurdandım.

"Bence de."

"Hayır, öyle değil. Ben cidden bekleyemeyeceğim. Ne olacaksa şimdi olmalı."

Rick öne doğru eğildi ve dirseklerini dizlerinin üzerine koydu.

"Sırf anneme bakmak zorunda olduğum için beni heyecanlı bir şeylerden mahrum etme," dedi.

Bensiz yaşayacak olan annemi ve babamı düşününce vicdanım sızladı.

"Bana güvenebilirsin," dedim.

HARİKA AİLELERLE GÖRÜŞMELER

8. RÖPORTAJ: *Gabriella Rossini*

BAYAN ROSSINI: Rafıq Bey bizimle irtibata geçtiğinde bizim açımızdan bir sorun olmadığını söyledik. Tamam, biraz tuhaf bir durumdu, ama cumartesi günleri pek sakin geçer. Biz, köşe masanın bir çocuk tarafından kullanılmasının ne sakıncası olabilir ki, diye düşündük. Firma ödemeyi önceden yaptı ve her şeyi güzelce hazırladı. "Gabriella, sen şunu söyleyeceksin", "Gabriella, sen bunu söyleyeceksin" dediler, ben de yaptım. Bana param verildiği sürece ben mutluyum.

RÖPORTAJCI: Peki ya kahve ve yiyeceklerin parası?

BAYAN ROSSINI: Her şeyin parasını ödediler. Bütün bu oyun için. Öyle anlaşmıştık. Bilirsiniz, anlaşma anlaşmadır.

Hayatımda geçirdiğim en garip gün olacak o cumartesi günü uyandığımda, Robbie üzerinde pijamalarıyla sabah kuşağındaki çizgi filmleri seyrediyordu.

Az sonra sıra dışı şeyler olmayacakmış gibi yanına oturdum ve mısır gevreğimi yedim.

Evden çıkarken, "Öğleden sonra görüşürüz," dedim.

Robbie şaşkın bir şekilde bana baktı, "Nereye gidiyorsun?" diye sordu.

"Bu sabah Maddy'lerde olacağım. Okul için yapmamız gereken bir projemiz var."

Kardeşimin yüzünde anlık bir hayal kırıklığı ifadesi belirdi.

"Sonra görüşürüz, tamam mı?" dedim.

Omuz silkti ve gözleri bir kez daha televizyon ekranına sabitlendi.

Evden çıkıp metro istasyonuna varana kadar öylesine tuhaf bir şekilde suçluluk duygusuna kapılmıştım ki kendimi, onunla aynı kanı taşıyan insanlara ihanet eden Danny Bell olarak değil, inanılmaz derecede güçlü ve bağımsız bir kişiliğe sahip olduğu için ailesi –kim olurlarsa olsunlar– yokmuş gibi davranan Jay Daniel Bellingham olmaya zorladım.

Ama bu sefer işe yaramadı. Bana verilen adrese on dakika erken vardım; kendimi küçük ve hain biri gibi hissediyordum.

Kafe açık gibi durmasa da yağmurluk ve kot pantolon giymiş iki adamın, Bayan Rossini olduğuna kanaat getirdiğim, cüsseli, kırk yaşlarında, koyu renk saçlı bir kadın ile konuştuklarını görebiliyordum. İçlerinden biri dışarıda beklediğimi görünce saatine baktı ve birkaç saniye sonra diğerleri ile birlikte kapıyı açtılar.

Yanımdan geçerlerken daha yaşlı olanı, "Selam ufaklık," dedi. Yolun karşısına geçip üzerinde "KendinOl Yapımcılık" yazan beyaz bir kamyonete binene kadar onlara baktım.

"Kahrolası televizyoncular!" Elleri belindeydi ve tam önümde duruyordu. "Buradaki müşterilerle röportaj yapmak istediklerini söylüyorlar. Ben de onlara, sizler delisiniz, burada cumartesileri kimsecikler olmaz, diyorum."

"Ne konuda röportaj yapacaklarmış ki?"

Bayan Rossini omuzlarını abartılı bir şekilde silkti.

"Nereden bileyim hayatım?" Güldü. "Her neyse, sen Jay olmalısın."

Başımı eğdim.

"Sen bir masa seç, ben de sana içecek bir şeyler getireyim. Kola? Meyve suyu?"

"Portakal suyu lütfen."

Sırtım kapıya dönük bir şekilde oturdum ve benim için mükemmel aile olabilecek çiftleri beklemeye koyuldum.

Yanımda *Kuşların Dünyası*'nı getirmiştim. Açıp sayfalarında göz gezdirmeye başladım.

Kuşların resimlerine bakıp onların göçme ve yuva yapma alışkanlıklarını okurken rahatlıyorum; bana, kendi küçük dünyamda ne tür olaylar meydana gelirse gelsin, dışarıda daha büyük ve daha vahşi bir dünyanın istifini bozmayıp yıllar boyu aynı şekilde devam ettiğini hatırlatıyor.

Kitabın en sevdiğim bölümlerinden birinde, bir kutup kırlangıcının haziran ve aralık ayları arasında İsveç'in kuzeyinden Yeni Zelanda'ya kadar 24.697 kilometre uçtuğunun keşfedildiği anlatılıyor. Bu, günde 135 kilometreden fazla yol demek; hem de ara vermeden! Ve bu yolculuğu her sene yapıyorlar.

"Kuşlar için içiyorsun, ha evlat?"

Bu bir adam sesiydi. Arkamda duruyordu. Kafamı kaldırıp baktım.

"Ben... Ben sadece kutup kırlangıçları hakkında bir yazı okuyordum," dedim.

Adam büyük ve kendinden emin bir gürültüyle güldü.

"Bizler de senin talih kuşların olabiliriz," dedi. Kocaman ve tombul bir el uzattı. "Ben Roger Marchant," dedi. "Sen de Jay Daniel Bellingham olmalısın."

Tecrübelerimden yola çıkarak söyleyebilirim ki, bu tarz espriler yapan insanların kısa süre sonra ne kadar sinir bozucu olduklarının ortaya çıkması kaçınılmazdır; Bay Marchant da bu kurala bir istisna olacak gibi görünmüyordu.

"Evet, adım Jay."

Bay Marchant, "Yanımda bütün çeteyi getirdim, umarım sakıncası yoktur," dedi.

Arkasında, Marchant ailesi kapıya kadar uzuyor gibiydi: Bir kadın ile ikisi kız ve biri erkek olmak üzere hepsi de benden küçük üç çocuk, sanki özel bir günmüş gibi giyinmişler, bana doğru gülümsüyorlardı. İşte o an kendimi hiç bu kadar Jay'den uzak, hiç bu kadar Danny'ye yakın hissetmemiştim.

Marchant topluluğu yerine yerleşene kadar bir süre sandalye çekmeler, takdimler, el sıkışmalar, ve o anki heyecan ile beceriksizce yapılmış espriler birbirini takip etti. Kafenin gürültüsü, onlar konuşup güldükçe kaybolmaya başlamıştı.

Annenin adı Margaret idi. Roger Marchant, "Biz ona patron deriz, öyle değil mi çocuklar?" diye gürledi. Ailenin geri kalanı ise on yaşındaki Venetia, sekiz yaşındaki Sophie ve beş yaşındaki Mark'tan oluşuyordu.

Dondurma ve çay ısmarladılar. Sonra hayatları hakkında konuşmaya, küçük ve şaka yollu tartışmalara girmeye ve bunları yaparken de bana doğru kaçamak bakışlar fırlatmaya başladılar. Her ne kadar amaçlarının beni rahatlatmak olduğunun farkına varmış olsam da net ve kendinden emin gelen sesleri, her halleriyle sağlıklı görünüşleri, bana kendimi küçük, pasaklı ve önemsiz biri gibi hissettiriyordu.

Bayan Marchant'ın ısrarı sonucu bir tabak da benim için sipariş edilen dondurmalar gelmişti. Çocuklar yemeye başladıklarında masaya bir sessizlik hâkim oldu.

"Ee, Jay?" Bayan Marchant, sanki her şey çok normalmiş gibi, son derece rahat bir şekilde konuşuyordu. "Bize biraz ailenden bahsetsene?"

Bir anda, nedendir bilinmez, gerçek aileme karşı bir koruma duygusu içimi kapladı. Sanki tüm mükemmellikleri ile Marchant'lar, onların tarafına geçmem için hemen oracıkta hayatımdan bir şeyleri ifşa etmemi bekliyorlardı.

"Bizimkiler harika insanlardır ve de çok başarılıdırlar."

Jay, ona en çok ihtiyacım olduğu anda yardıma gelmişti. Jay başı dertte olduğu zamanlarda –mesela Rus petrol trilyoneri ve gezegen kirleticisi olan ölümcül rakibi Sergei Planx tarafından köşeye sıkıştırıldığında– dövüşmez, konuşur.

Bayan Marchant, "Ne yönden başarılılar?" diye sordu. Gerçekten merak etmiş gibi görünüyordu.

"Babam çok ünlü bir müzisyendir," dedim. "Doğruyu söylemek gerekirse kendisini bu aralar pek göremiyorum, çünkü dünyayı gezip dev konserler vermekle meşgul. En iyi on şarkı listesine girmiş birçok şarkısı var. Yalnız Kalmak İstiyorum, Ufaklığım Benim... Bunları büyük ihtimalle biliyorsunuzdur."

Venetia, kızlardan büyük olanı, bir şey sormak üzereymiş gibi duruyordu.

Hemen, "Ve annem de," diye devam ettim, "önde gelen emlakçılardandır. BMW kullanır, kahvaltıdan önce birkaç ev satar, böyle bir kadındır yani."

Bayan Marchant, "Vay canına," dedi.

"Ablama gelince..." Jay o ana kadar oldukça iyi gidiyordu, ancak aklıma Kirsty'nin televizyon başında kamburu çıkmış bir şekilde oturuşunun gelmesi onu kısa bir süre için duraksattı. "O bir jimnastikçi, hem de çok iyi."

En küçükleri, "Ben de jimnastik yapıyorum," dedi. "Ablan paralel bar yapabiliyor mu?"

"Tabi ki de. En çok onu sever."

"Peki ya atlama beygiri?.."

"Sürekli biner," dedim.

Çocuk kaşlarını çattı. "Atlama beygirine binilmez, üzerinden atlanır."

Ufaklığı duymazlıktan gelerek, "Bir de küçük kardeşim var," dedim. "İnanmayacaksınız, seneye basılmak üzere ilk kitabını yazdı! Henüz 6 yaşında!" Kafamı iki yana salladım. "Akıl almaz bir çocuk."

Bay Marchant'ın, parmağını kullanıp kulağının hemen üzerinde daireler çizerek 'deli' işareti yaptığını ve bunu gizlice, kimseye göstermeden yaptığını sandığını fark ettim. Bakıp gülümsediğimde, deli profesörler gibi kafasını kaşımaya başladı.

Bayan Marchant, sempatikliği sahte olan yumuşak bir ses tonu ile, "Ne kadar da hünerli bir ailen var," dedi.

"Bazen ben bile bu kadar harika olmalarına şaşırıyorum."

"Peki ya sen?" Ölümcül soru ile gelen kişi en küçük veletti. Jay buna hazırlıklıydı.

Kendimden emin bir şekilde burnumu sıvazladım. "Devlet için çalışıyorum. Çok gizli. Daha fazla soru sormazsanız sevinirim... Kendi iyiliğiniz için."

Masada bir sessizlik oldu. Casus olduğumu iddia etmek işi bitirmişti. O ana dek Marchant'ların gözünde sadece tuhaf bir çocuk olan ben, artık tam bir çatlak konumuna yükselmiştim.

Bayan Marchant aniden, "Buradan çıkınca sinemaya gideceğiz," dedi. "Belki sen de gelmek istersin."

Daha önce bir yere hiç bu kadar isteksizce davet edilmemiştim.

"Maalesef, üzerinde çalışmam gereken gizli bir proje var," dedim. "Her an başbakan arayabilir."

"Tabi." Bay Marchant eşinin bulunduğu yöne doğru panik içinde bir bakış fırlattı. "Öyleyse biz kalkalım. İçeceklerinizi bitirin çocuklar. Filmi kaçırmak istemeyiz, değil mi?"

Birkaç sıkıntılı dakika sonrasında hesabı ödemiş ve gitmişlerdi.

Kuşların Dünyası kitabımı açtım. Albatrosun iki kanadının toplam uzunluğu iki metreyi aşıyordu.

Temiz hava almak için çıktığım kapı önündeki kaldırımdan Rafiq'i aradım.

"Biri gitti, üçü kaldı," dedim.

"Marchant'lar nasıldı?"

"İyi sayılırlar."

"Ruh ailesi mi?"

"Pek değil."

"Ya..."

Sessizliği bozmak için, "Az kalsın televizyon röportajı gibi bir şeye yakalanacaktım," dedim.

"Televizyon?.."

"Birkaç adam restorandaki müşterilerle röportaj yapmak istiyordu. Kötü zamanlama diye buna denir."

Rafıq sanki ben espri yapmışım gibi bir kahkaha attı. "Biz onu senin için hallederdik."

"Harika. Bir sonraki randevu için hazırlansam iyi olacak."

Sonraki bir buçuk saat göz açıp kapayıncaya kadar geçti. Aileler geldi, aileler gitti.

Önce Burt-Williams'lar geldiler; tertipli, düzgün giyimli, hırslı, birazcık da ürkütücüydüler. Beraberce oturduğumuz sürenin büyük bir kısmında hayata iyi bir başlangıç yapmaktan bahsettiler; sonradan bunun yatılı bir okula gitmek ve doğru insanlarla tanışmak anlamına geldiği ortaya çıktı.

Sıradaki!

Sonra Musson'lar geldi. Anne ve babalarının uğraşıp didinerek onlara sunduğu şeylerin değerini anlamayan küçük Tim ve Lily'leri konusunda çok endişeliydiler. Görünen oydu ki, onlar kadar ayrıcalıklı bir şekilde büyümemiş birinin bu çocuklara ne kadar şanslı olduklarını göstermesi harika olacaktı.

Teşekkürler!

Musson'lar nihayet –büyük ihtimalle bir daha Tim ve Lily'den şikâyet etmemeleri gerektiğini anlayarak– gittiklerinde, konuşmaktan yorgun, gülmemi sağlayan yüz kaslarım fazla kullanılmaktan uyuşmuş bir şekilde masada oturmaya devam ettim.

"Şansın yaver gitti mi?"

Başımı kaldırdığımda, elinde bir kurulama beziyle duran Bayan Rossini'yi gördüm. Ümitsizce omuz silktiğimi görünce karşımdaki sandalyeye oturdu.

"Bu iş zaman alır," dedi. "Kocam ve ben Mario'yu bulmadan önce AileniSeç'ten tam on tane…" iki elini birden kaldırıp parmaklarını açabildiği kadar açtı, "çocukla görüştük. Şimdi ise o bizim gözbebeğimiz oldu. Sabırlı olmak zorundasın. Aile değiştirmek büyük bir iştir."

Evet anlamında başımı salladım. "Bu görüşme işi başımı şişirdi."

"Biraz daha dayan." Üç kadının tezgâha yaklaşmakta olduğunu gören Bayan Rossini ayağa kalktı. "Seni iyi bir çocuksun, bunu görebiliyorum. Eğer Mario olmasaydı seni biz alırdık."

Uyuşmuş bir şekilde son randevu saatinin gelmesini beklerken, bir daha numara yapmamaya karar verdim. Jay Daniel Bellingham olmak için biraz fazla yorgundum. Gerçek şu ki Rafiq'in benim hangi aileler ile görüşeceğimi seçmesi bir hataydı; benim gerçekte nasıl biri olduğum hakkında en ufak bir fikri bile yoktu. Şimdi cevaplanmamış tek soru kalmıştı, o da Rafiq'in dördüncü randevuya ne tür çatlaklar yolladığıydı. Onları da sepetledikten sonra Tracy ile konuşup ruh ailemi bulma ümidi ile ilanıma gelen cevaplara bakacaktım.

"Sen Jay misin?"

Oturduğum masanın önünde duran adamla ilgili olarak fark ettiğim ilk şey saçıydı. Okuldakilerin deyimiyle tam bir "çalı kafa" idi. Zaten az kalmış olan saç telleri başının üzerinde kıvır kıvır ve elektrikli bir hal almış, sanki en ufak rüzgârda uçacakmış gibi duruyordu.

"Evet," dedim.

"Ben Graham... Graham Harrison." Pardösüsünü çıkarttı ve kapıda duran bir kadına gelmesi için işaret etti. Kadın yaklaşırken onu gösterip, "Bu, Mary," dedi, "karım."

Mary'ye şişman demek haksızlık olurdu, ama doğruyu söylemek gerekirse 'iri' veya 'balıketi' gibi tabirler de azıcık yetersiz kalıyordu. Fakat şefkat dolu bir gülüşü vardı; sandalyesine sığışmaya çalışırken gevşemekte olduğumu fark ettim.

Yerine oturan Bay Harrison, "Sen de bizim gibi heyecanlı mısın?" diye sordu.

Gülümsedim. Görüştüğüm diğer ailelerin aksine, Harrison'ların tavırlarının doğallığı beni rahatlatmıştı. İçinde bulunduğumuz durumun ne kadar tuhaf olduğunun farkındaydılar ve sanki öyle değilmiş gibi davranmayacaklardı.

Bayan Harrison, "Biz daha önce hiç böyle bir şey yapmadık," dedi.

"Ben de öyle."

Bayan Rossini'den onlar için çay, benim için de bir bardak daha portakal suyu ısmarladık.

Bay Harrison, Bayan Rossini uzaklaştıktan sonra, "Görüştüğün ilk aile biz miyiz?" diye sordu.

Hayır anlamında başımı sallarken yüz ifadem beni ele vermiş olmalıydı ki her ikisi de gülümsedi.

"Yo hayır... Aslında ilginç bir tecrübeydi," dedim.

"Böyle bir şey için ne tür anneler ve babalar gelir ki?"

Hiç düşünmeden gözlerimi şaşı yaptığım yüz ifademi takındım.

Güldüler. Bayan Harrison sır dinlemek üzere olan oldukça iri bir çocuk gibi öne doğru eğildi ve, "Bize onlardan bahset," dedi.

Ben de öyle yaptım. O sabah Rossini'nin Yeri adlı kafede dolaşma fırsatı bulduğum, tuhaflıklarla dolu olan Ebeveynler Ülkesi hakkında kısa bir özet geçtim. Onlar da dinlediler, hem de gülünmesi gereken yerlerde gülerek. Bitirdiğimde arkama yaslandım, "Şimdi de karşımda sizler varsınız. Şu aşamada her şeye hazırlıklı olduğumu söylemeliyim."

Bay Harrison karısına baktı. "Korkarım biz bu anlattıklarınla yarışamayız," dedi. "Sanırım yapabileceğimiz en iyi şey sana neden burada olduğumuzu anlatmak. Sonra da sen anlatırsın."

Bayan Harrison gülümseyerek, "Yani Jay," dedi, "her dakika yeni bir heyecan bekliyorsan biz senin aradığın aile değiliz."

"Sizi şaşırtabilirim," dedim.

"Londra'nın hemen dışında, bahçeli, küçük bir evde yaşıyoruz. Kate adında bir kızımız, Mışıl adında –sürekli uyuduğu için bu ismi koyduk– bir kedimiz ve trilyonlarca kuşun ziyaret ettiği bir kuşevimiz var. Ben bir paketleme firmasında müdürlük yapıyorum."

Sesinde az da olsa bir memnuniyetsizlik ile Bay Harrison, "Ben de belediye meclisinde görevliyim," dedi.

Bayan Harrison, "Para bastığımızı söyleyemem Jay," dedi. "Ama beraber yaşamaktan mutluyuz; çoğu hafta sonları hep birlikte taşraya gezintiye çıkarız."

Bay Harrison, "Yazları genelde Cornwall'da tatil yaparız," dedi. "Çadırın var mı Jay?"

"Hiç Londra dışına çıkmadım," dedim.

Bayan Harrison, "Bizimle yaşayacak olursan bu durum değişecek," dedi.

Alçak sesle, "Ee, neden buraya geldiniz?" diye sordum.

Harrison'lar bir an birbirlerine baktılar. Konuşmaya başladığında, Bay Harrison karısına da anlatıyor gibiydi. "Biz üçümüz mutluyuz, ama..." duraksadı; doğru kelimeleri arıyordu. "Hep dört kişi olmak istemiştik."

Bayan Harrison, "Başka bir çocuk sahibi olamadık," dedi. "Bu da bizim için büyük bir üzüntü kaynağıydı."

"Yani ben, yapamadığınız o çocuk muyum?"

İkisi de güldüler. Bayan Harrison, "Altını değiştirmek ve kaşıkla beslemek zorunda kalmayacaksak evet," dedi.

"Hiç emin olmayın," dedim ve masada tekrar kahkahalar çınladı.

Bayan Harrison, "Bu anlattıklarımıza ne diyorsun?" diye sordu.

"Güzel," dedim, "kulağa hoş geliyor."

Dile getirmek garip olsa da bu doğruydu. Kate'i, kedisi, bahçesi, kuşları ve yazın yaptıkları kampları ile Harrison ailesini gözümün önüne getirebiliyordum. Heyecan dolu bir hayatları olmadığı konusunda haklıydılar, ama bu hayatın da bir tür düzeni, gözüme pek de kötü görünmemeye başlayan sakin bir normalliği vardı.

Onlarla konuşurken, birbirimizi tanımadığımız halde kendimi güvende hissettim. Beni daha önce hiç görmemiş olmalarına rağmen benimle ilgilendiklerini hissedebiliyordum. Diğer aileler kendileri için bir şeyler istiyorlardı; zaten harika olan ailelerine bir çeşit ek arıyorlardı. Bay ve Bayan Harrison ise farklıydı. Hem arkadaş hem de yetişkin olabilen –zaman zaman karşınıza böyle öğretmenler çıkar– büyükler gibiydiler.

Bayan Harrison, "Bize sormak istediğin bir şeyler var mı Jay?" diye sordu.

"Kuşevinize ne tür kuşlar konuyor?"

Bay Harrison'ın mısır püskülü saçlarının altındaki gözleri parlar gibi oldu. "Mavi baştankara, büyük baştankara, uzunkuyruk, sarıasma, yeşil ispinoz, saka, şakrak kuş, alaca ağaçkakan, kızılgerdan, sığırcık, karatavuk. Geçen sene bahçemizdeki huş ağacında da bir çift çalıkuşu vardı."

"Çalıkuşu?.. Onlar şu küçük olanlar, öyle değil mi?"

Bayan Harrison, "Hey," dedi, "bize, senin de bir kuş gözlemcisi olduğunu söylemeyeceksin, değil mi?"

"Bende bu kitap var," diyerek Kuşların Dünyası'nı havaya kaldırdım. "Londra'nın benim yaşadığım bölümünde gözlemleyecek pek bir şey yok."

Bay Harrison, "Tahmin etmeliydik," dedi. "Ne de olsa ismini bir kuştan almışsın."

"Danny mi?"

"Jay"* dedi.

"Ah, doğru ya!" Güldüm, ama sahte bir gülüş olduğu belliydi. Bu insanlarda bana, onlara Jay Daniel Bellingham ile Danny Bell hakkındaki gerçekleri söylemem gerektiğini düşündürten bir şeyler vardı. Ama şimdilik sadece, "Anne ve babamın bana isim verirken kuşları düşündüğünü sanmıyorum," demekle yetindim.

Bayan Harrison, "Bize kendinden bahset," dedi, "yalnız bir kalp haline nasıl geldiğini anlat."

* İngilizcede alakarga anlamına gelir. [Ç.N.]

TIPKI KIRLANGIÇLAR GİBİ

Kafamda anne babalar uçuşuyordu.

Hafta sonunun geri kalanını, ne yapmam gerektiğini düşünerek odamda geçirdim. Farkına varmadan bu işin nereye gittiğini anlamış olmalıyım ki kendimi, komodin görevi gören hatıra sandığımı karıştırırken buldum.

Hatıra sandığımda tuhaf şeyler birikmişti. Annem ve babamın ilk tanıştıklarında çektirdikleri bir fotoğraf, babamın ilk kez şarkı sözü yazdığı kâğıt parçaları, annemin geçen sene yolladığı, 'Sana Çok Yakın Birinden' şeklinde imzalanmış sevgililer günü kartı, hatta Robbie'nin okulda çizdiği bir resim bile vardı. Bunlara göz atarken sanki başka bir aileye –sohbetin, sıcaklığın ve günlük yaşamda olan diğer normal şeylerin bulunduğu bir aileye– ait oldukları hissine kapıldım.

Hepsini birer birer sırt çantamın yan cebine doldurdum. Zaman geldiğinde toplanmaya fırsat olmayacaktı.

O hafta sonu evde değişik bir atmosfer vardı; sanki her birimiz –Robbie bile– bir şeylerin sonsuza dek değişeceğini hissetmiş, kendi küçük ve güvenli dünyalarımıza sığınmıştık.

O pazar gününün büyük bir kısmını odamda geçirdim. Birkaç kere annemi aradıysam da ulaşamadım.

9. RÖPORTAJ: *Paula Bell*

PAULA: *Danny'nin zor bir dönemden geçtiğinin farkındaydım, ama her genç çocuk bu sorunları yaşar, öyle değil mi? O akıllı bir çocuktu. Kendi başının çaresine bakmayı biliyordu. Özünde güçlü bir çocuktu. Ayrıca başı gerçekten belaya girdiğinde annesinin yardıma koşacağının da farkındaydı.*

RÖPORTAJCI: *Onun kendine başka bir aile aradığını duymak şok edici olmalıydı.*

PAULA: *Kimseyle uluorta suçlu bulma yarışına girmeyeceğim. Evlilikte ters giden şeyler olur. Kolay değil. Bazen kendi hayatını kurtarmak için çekilmek durumunda kalırsın. Beni gerçekten de geceleri uyutmayacak bir karar vermek zorunda kaldım. Ben mutsuzken kimseye bir yararım olmadığını fark ettim çünkü. Önce kendi hayatımı kurtaracak, sonra ailemi toparlayacaktım. Bunu yapmak için de kendime zaman ayırmam, küçük aile sorunlarımızı çözmek için daha az vakit harcamam gerekiyordu.*

RÖPORTAJCI: *Ama Danny...*

PAULA: *Korkarım bu konuda tüm söyleyeceklerim bu kadar. Bizi izleyen birçok evli kadın benim ne demek istediğimi anlayacaktır.*

RÖPORTAJCI: *Bugünlerde Bayan Bell mi, yoksa Bayan Griffith misiniz?*

PAULA: *Ben kendimim. Eninde sonunda isimler yalnızca birer etikettir.*

Kırlangıçlar sonbaharda uzaklara uçmadan önce elektrik tellerinde bir araya gelirler; bu büyük maceraya başlamadan önce genellikle sohbet eder, tüylerini kabartır ve enerjilerini toplarlar.

Ben sohbet etmiyordum, yalnızdım. Ama, tıpkı kırlangıçlar gibi, ben de hazırdım. Kararımı vermiştim. Yakında uçacaktım.

KENDİNDE DEĞİLSİN

Sanki her şey önceden planlanmış gibiydi.

Yedi gün sürecek olan ara tatilimize bir hafta kalmıştı. Görünüşe göre bu tatil yeni bir aile denemek için mükemmel bir zaman olacaktı.

Büyük kararımı verdikten sonraki hafta içerisinde Rafiq bir kere aradı. İş görüşmesi yapıyormuş gibi sakin bir ses tonuyla, kendisiyle okul çıkışı Bloemfontein Sokağı'nın köşesinde buluşmamı, beni oradan alıp yeni aileme götüreceğini söyledi.

"Yanımda ne getirmeliyim?" diye sordum. "Ne tarz kıyafetler alayım?"

"O konuda endişelenme. AileniSeç sana yepyeni kıyafetler verecek. Kendini tanıyamayacaksın."

"Harika."

"Ha, unutmadan, babana ne söyleyeceğini düşünmüş müydün?"

Rafiq, en büyük endişemden sanki önemsiz bir detaymış gibi bahsetmişti.

"Bu konuda bana yardımcı olabileceğini sanıyordum."

"Çocukların inisiyatifi ele almaları AileniSeç açısından önemlidir; biz yalnızca kendilerine yardım edebilecek seviyede olanlara bu fırsatı sunarız. Eğer sen babana ara tatilde birinin evinde kalacağını söyleyebilirsen, biz de anlaşmayı hallederiz."

"Anlaşma?.."

"Evet. Doldurulması gereken izin belgeleri, haklarla ilgili yasal işlemler, pazarlama... Seni ilgilendiren şeyler değil."

"Babam belge imzalamaz. Belgelere güvenmiyor."

Rafiq güldü. "Buna güvenecek. Harika bir paket sunacağız."

Ve ben tam detaylarla ilgili can sıkabilecek bir iki soru –Babam neden bu sefer güvenecek? Paket ne demek? Bütün bu olanların pazarlama ile ne alakası var?– soracakken öbür hatta bekleyen biri olduğunu söyleyip telefonu kapattı.

Teşekkürler Rafiq. Teşekkürler AileniSeç.

O cuma, yarıyılın herhangi bir cumasıyla aynı şekilde başladı. Her zamanki gibi Robbie'yi okuluna bıraktım. Ortalıkta garip bir şeyler döndüğünü hissetmiş gibiydi, çünkü aceleci bir hoşça kaldan sonra oyun alanına doğru koşmaya başlamak yerine, girişte durdu ve oyun alanındaki diğer çocukların çığlık atıp top peşinden koşmalarını seyretmeye başladı.

Çömelip her iki omzuna da ellerimi koydum ve gözlerinin içine baktım.

"İyi misin?" dedim.

Başını evet anlamında salladı.

"Bana bir söz ver," dedim. "Sonucu ne olursa olsun, abinin bu yaptıklarını, hepimiz için en iyisi olduğu için yaptığını unutma."

"Ne yapacaksın?"

"Birkaç gün Maddy'lerde kalacağım. Eğer bana gerçekten ihtiyacın olursa," arka cebimden katlanmış ufak bir kâğıt parçası çıkardım, "bu benim cep telefonumun numarası. Onu iyi sakla, tamam mı?"

Robbie bana en sevdiği yüz ifadesiyle bakıyordu: Başını yana çevirdiği, 'şaka yapıyor olmalısın' bakışı.

"Abi, senin bir tahtan eksik," deyip kâğıdı cebine soktuktan sonra dönüp oyun alanına doğru koştu. Birkaç saniye içerisinde etrafı arkadaşları ile sarılmış, o da herhangi bir normal ve mutlu ikinci sınıf öğrencisi gibi konuşup gülüşmeye başlamıştı.

Çantamı omzuma atıp kendi okuluma doğru yola koyuldum.

Kocaman ve karanlık apartmanların çatı ve bacalarında birbirleriyle delicesine muhabbet etmekte olan bir sığırcık sürüsü vardı. Bu tanıdık sesi duyunca gülümsedim. Çok yakında çalıkuşu ve ağaçkakanlarla dolu bir dünyada yaşayacaktım; ama eski dostlarım olan sığırcıkları da görebilmeyi umuyordum.

İlk dersimizin İngilizce olması, kafamı toplamak ve planlarıma son şeklini vermek için iyi bir fırsattı. Sınıfın geri kalanı *Sineklerin Tanrısı* adlı kitap üzerine bir kompozisyon yazarken, kaçışımı hazırlamak için yapmam gerekenlerin listesini hazırladım. Dersin sonunda zihnim açılmış, odaklanmaya ve yön verilmeye hazır bir lazer ışını halini almış; kalbim yaşadığım anın dertlerini geride bırakmış; gözlerimse geleceğe doğru yönelmişti.

"Danny…" Bayan Elliott zilin çalmasına saniyeler kala önümde dikilmiş, elini bana doğru uzatmıştı. "Kompozisyonunu alabilir miyim?"

"Kompozisyon?.."

Sınıfta gülüşmeler duyuldu.

"*Sineklerin Tanrısı*. Modern toplum hakkında bize anlattıkları. Hatırladın mı?"

"Şey... ee... kalemim bitmişti Bayan Elliott. Bu gece yapsam olur mu?"

Öğretmenim elinden geldiğince kızgınlığını üzgün bir ifadenin arkasına saklamaya çalıştı. "Hayır Danny," dedi. "Bugün derslerin bittiğinde doğru bana gelmeni istiyorum. Bu iş fazla uzadı artık."

"Tamam Bayan Elliott."

Teneffüste Maddy'yi her zamanki yerinde, bir tenis topunu ayağıyla duvardan sektirirken buldum.

"Seninle konuşmam lazım," dedim.

Sesimin tonundaki ve görünüşümdeki farklılık, topu durdurmasına yol açmıştı. Yerden topu aldı. "Evet?" dedi.

"Ara tatilde sana kalmaya geleceğim," dedim.

Maddy şaşkınlıktan bir kahkaha attı. "Efendim, anlayamadım?"

"Tek bilmen gereken bu."

"Sanmıyorum Danny," dedi. "Tamam, annem bu aralar rahat olabilir, ama onunla konuşmaya bile gerek duymadan gelip bizim evin bir köşesinde kıvrılamazsın."

"Zaten kıvrılmayacağım," dedim. "Başka bir yerde olacağım. Senden tek ricam beni idare etmen, seninleymişim gibi davranman."

"Danny, neler oluyor?"

"Eğer bizimkiler ararsa, seninle birlikte olduğumu söylemen yeterli."

"Evden mi kaçıyorsun Danny?" Maddy sesini alçalttı; yüzüne takdir dolu hafif bir tebessüm yerleşmişti.

"Cep telefonu numaram sende var," dedim. "Eğer bir sorun çıkarsa beni arayabilirsin."

"İyi ama nereye gidiyorsun?"

"İnan bana daha fazlasını bilmek istemezsin Mad," dedim. "Olan biteni sana sonra anlatacağım, söz veriyorum."

Bir şey söylemesine fırsat vermeden arkamı döndüm ve okul binasına doğru yürüdüm.

Öğle yemeğinde Rick'i yemekhanenin bir köşesinde tek başına otururken buldum. Bütün o gürültü, konuşmalar ve çatal bıçak sesleri arasında ona her şeyi –AileniSeç, Rossini'nin Yeri'ndeki randevular, verdiğim karar– anlattım.

Ben bütün bunları anlatırken, Rick sanki daha sonra teste tabi tutulacağı için anlattıklarımın hepsini ezberliyormuş gibi başını sallıyordu. Ne yüzünde herhangi bir şaşırma ifadesi ne de neden birbiri ardına ailelerle görüştüğüme dair bir soru... O gün tam da olması gerektiği gibi bir dosttu.

Ona okuldan ya da evden kimsenin bu olayı bilmediğini söyledim. Annem ve babam, Maddy Nesbitt ve annesiyle kaldığımı sanacaklardı.

Arka cebimden bir kâğıt parçası daha çıkardım. "Bu, AileniSeç'in adresi ve telefon numarası," dedim. "Konuşman gereken kişi Rafiq. O, beni nerede bulacağını bilecektir."

"Tamam." Adrese bir göz attıktan sonra kâğıdı katlayıp cüzdanına koydu. Yüzüme baktı. "Bunu yapmak istediğinden eminsin, öyle değil mi?"

"Hayatımda hiçbir şeyden emin olmadığım kadar," dedim.

"Anlattıkların kulağa biraz garip geliyor. Bu Rafiq denen adama güveniyor musun?"

"Tamamen güvendiğimi söyleyemem, ama AileniSeç'in bürosunu gözlerimle gördüm. Bir de Bayan Rossini ile yeni oğlu Mario'su da var. Benim kadar gerçekler."

Rick güldü. "Patron sensin," dedi. "Bu senin hayatın."

10. RÖPORTAJ: *Rick Chancellor*

RICK: *Bu çocuk bir kere bir işi kafasına koydu mu geri dönüş yoktur. Uysal biri gibi görünebilir, ama çelik gibi bir iradesi vardır.*

RÖPORTAJCI: *Yani yaptığı plana göre hareket etmesine göz yumdun.*

RICK: *Hayır. O gider gitmez bana verdiği AileniSeç numarasını aradım. Telefonu açan olmadı. O noktada Danny'ye göz kulak olmam gerektiğini anlamıştım.*

Dersler bitmek üzereydi. Bu heyecanlı bekleyiş, karnıma ağrılar sokuyordu. Okul dışına adım attığımda yeni bir hayata başlayacaktım. Değişim ve heyecan dolu bir yaşam beni bekliyordu; kendi kaderimi belirleyebileceğim, kenarda durup çaresizce akışını izlemek yerine maceralarının göbeğinde olacağım, kendi yolumu çizeceğim, kendim karar alacağım bir yaşam. Artık gerçek hayatta da Jay Daniel Bellingham olacaktım.

"Danny..."

Koridorda arkamdan gelen ses Bayan Elliott'a aitti. Arkamı döndüğümde sınıf kapısının önünde dikildiğini gördüm.

"Bir randevumuz yok muydu?" diye sordu.

Off. Tamamıyla unutmuştum. Eğer sınıfta oturma cezası verirse, yaptığım bütün planlar suya düşecekti.

Yavaşça yürürken, "Bugün günlerden cuma Bayan Elliott," dedim.

"Haftanın hangi günü olduğunu adım gibi biliyorum," dedi. Kapının önünden çekilince bir mahkûm gibi sınıfa girdim. Bir sıraya oturdum; o da karşımda ayakta durdu ve bana baktı. Endişeli görünüyordu.

Doğrusu şu ki Bayan Elliott'ı *seviyorum*. İşin daha da ilginci, bu kadar sorun çıkaran bir öğrenci olmama rağmen onun da beni oldukça sevdiğine yemin edebilirim. Bazen, bir kitap hakkında kompozisyon yazmak yerine aklıma ilk gelen hikâyeyi kâğıda döktüğümde bana düşük bir not verir, ama yazdığım hikâyeden dolayı da sessizce kutlar. Sanki benim, aslında göstermeye çalıştığım kadar kötü bir öğrenci olmadığımı hissedebilmektedir.

"*Sineklerin Tanrısı*'nı okudun, değil mi?"

Bir üçkâğıtçı gibi görünüyordum. Tabi ki kitabı okumuştum. Gloria Konutları, No:33'te yapacak başka ne vardı?

"Belki de," dedim.

"Öyleyse neden kompozisyonu yazmadın?"

"Yapmam gereken işler vardı Bayan Elliott. Ara tatilde yaparım, söz veriyorum."

"Ben de ödevleri o zaman okumayı düşünüyordum."

Bir an bana baktı; şaşırmış ve endişeli görünüyordu. Alçak

sesle, "Neler oluyor Danny?" diye sordu. "Aramızda kalacağına emin olabilirsin, haydi derdini anlat."

"Dert?.."

"Dalıp gidiyorsun Danny. Bugünlerde hiç kendinde değilsin. Bu konu hakkında bir şeyler yapmalıyız."

Paniklemeye başlamıştım. Zaman akıyordu, bizim bu önemseme ve paylaşma temalı sohbetimiz bir saat daha sürebilirdi.

"Lütfen Bayan Elliott." Sesim yalvarır gibi çıkıyordu. "Kompozisyonu yazmadığım için özür diliyorum ve bu hafta sonu yazacağıma da söz veriyorum. İsterseniz okula bırakabilirim, ama şimdi gitmem lazım."

Bayan Elliott iç çekti, sonra da masasından o çok iyi tanıdığım kahverengi zarflardan bir tane aldı. "Haftaya çarşamba günü saat beşte anneni veya babanı, hatta ikisini birden görmek istiyorum."

"Ama... o gün ara tatile denk geliyor."

"Ve ben burada olacağım. Sizler tatil yaparken bazılarımız çalışmaya devam etmek zorunda."

Zarfı bana uzattı. "Eğer ailenden haber alamazsam, evinize eğitim bakanlığından bir görevlinin yollanması için okul müdürü ile konuşmaktan başka şansım kalmıyor."

"Hayır!.."

İstem dışı olarak ciyaklamıştım.

"Çarşamba günü Danny, saat beşte." Masasında duran bazı kâğıtları düzeltmeye başladı. "Eğer sen de gelebilirsen daha iyi olur."

"Bayan Elliott, bundan sonra bütün ödevlerimi yapacağıma söz veriyorum."

"Çarşamba günü hepinizi burada görebilmek umuduyla. O zamana kadar kompozisyonunu da yazmış olursan harika olur. Tamam mı Danny?"

Yutkundum ve başımı salladım. "Tamam Bayan Elliott."

"Alo, baba."

"N'aber Danny? Nasıl gidiyor?"

"Baba, okuldan şimdi çıktım. Sana söylemem gereken bir şey var."

"Sakin ol evlat. Neden eve gelene kadar sabretmiyorsun?

"Bekleyemem baba, şimdi söylemem lazım."

"Eğer söyleyeceğin şey annen ve olanlar hakkındaysa meraklanma evlat. Şu sıralar hatunlara özgü bir evreden geçiyor, o kadar."

"Baba..."

"Danny, gerçekten yorucu bir gün geçirdim. Daha fazla kötü haber verme bana."

"Ara tatil olduğunu biliyorsun, değil mi?"

"Hayır, evet... her neyse. Konu nedir Danno?"

"Kirsty'den ve o ortamdan biraz uzaklaşmaya ihtiyacım var. Bu yüzden Maddy'lerde kalacağım; yalnızca bir haftalığına."

"Maddy? Tatil? Neden bahsediyorsun evlat?"

"Maddy Nesbitt, arkadaşım. Onu birkaç kez görmüştün."

"Uzun boylu hatun mu?"

"Evet. Başımı dinlemeye ve düşünmeye ihtiyacım var."

"Hey, dur bakalım. Bu gece eve gelmeyecek misin yani?"

"Bana cep telefonumdan ulaşabilirsin. Eğer endişeleniyorsan Maddy'nin numarasını da yaz."

"Hey, yavaş, ortalıkta kalem yok. Hah, tamam, söyle."

Ona numarayı verdim. "Böyle iyi olacak baba," dedim. "Siz de başınızı dinlersiniz."

"Benim başımı dinlemeye ihtiyacım yok evlat." Derin bir iç çekti. "Eğer annen ararsa ne diyeceğim?"

"Onu sevdiğimi söyle."

11. RÖPORTAJ: *Dave Bell*

DAVE: *İşin aslı şu ki tıbbi bir rahatsızlığım var. Ve açıkçası bu konu hakkında konuşmayı pek sevmem. Evden dışarı çıkamıyorum. Babam öldüğünden beri bu durum devam ediyor. Ciddi, yani nasıl desem, çok derin gibi bir depresyon. Kapıdan dışarı adımımı attığımda fiziksel olarak hastalanıyorum.*

RÖPORTAJCI: *Agorafobi?*

DAVE: *Ne fobi? Evet, bişeyfobi işte. Ben de onu söylüyorum.*

RÖPORTAJCI: *İnsanların açık alanlardan korkmalarına agorafobi denir.*

DAVE: *Neyse ne. Benim demeye çalıştığım, eğer dışarı çıkabilirsem bir grupta iş bulabilirim. Paula ile yeniden başlayabilirim. Çocukların okullarına gidip öğretmenleriyle görüşebilirim mesela. Kirsty'nin o erkek arkadaşını yola getirebilirim. Ama yapamıyorum. Fobim yüzünden.*

RÖPORTAJCI: *Yani her şeye rağmen iyi bir babaydınız.*

DAVE: *Engelli bir baba olduğum göz önünde bulundurulursa sanırım öyleydim. Beni nerede bulacaklarını bilirler.*

RÖPORTAJCI: *Televizyonun önünde mi?*

DAVE: *İhtiyaçları olduğunda yanlarındayım. Önemli olan da bu. Bu konu hakkında bir şarkı yazmaya başlamıştım; Robbie dünyaya geldikten hemen sonra. Adı da Ufaklığım Benim. Eğer isterseniz söyleyebilirim.*

RÖPORTAJCI: *Aslında sadece…*

DAVE: *Kısa bir parça canım. Beğeneceğine eminim. Haydi bakalım:*

Dünya çok büyük, sense küçücüksün
Ama bu pek umurunda değil gibi senin
Ağzında emziğin
Yanında seni seven ebeveynin
Hanimiş tatlı bebeğim
Gökyüzüne bakalım
Lütfen ağlamayalım
Çünkü sen ufaklığımsın benim
Bu duvarların ardında her şey karman çorman
Savaşlar falan var ama dert etme aman
Burasını hatırlamıyorum sonra söylerim
Lay lay lom, iyi günler dilerim

Evet, bu şarkıyı bir gün mutlaka bitirmeliyim.

Geç olmuştu, ama bu durum Rafiq'i endişelendirmiyor gibiydi. Bloemfontein Sokağı'nın anlaştığımız köşesinde duran arabasında oturmuş, bekliyordu. Camı tıklattığımda, okumakta olduğu gazetenin kenarından şöyle bir baktı ve kapıyı açmak için eğildi.

"Demek başardın," dedi.

"Evet." Arabaya bindim. "Tek yapmam gereken şey eve bir telefon açmaktı."

"Bu yaptığın iyi bir şey Jay. Hayatını değiştirecek cesarete sahip fazla insan yok."

"Öyle mi?" Pencereden dışarıya, Shepherd's Bush'un hızla akıp gitmekte olan tanıdık sokaklarına baktım.

"Yanında getirdiklerin yalnızca bunlar mı?" diye sordu Rafıq.

Kucağımda duran çantaya baktım. "İhtiyacım olan her şey burada."

Kaşlarından birini bir film yıldızı gibi kaldırdı. "Hafif seyahat ediyorsun demek."

"Evet, hafif seyahat ediyorum."

GELECEĞE HOŞ GELDİN

Jay Daniel Bellingham'ın şimdiye kadar yaşadığı en tuhaf maceraydı bu. Bir ailenin içine sızmasını ve tanımadığı bu insanların evinde casusluk yapmasını zorunlu kılan bir görev için, neredeyse hiç tanımadığı birinin arabasında Londra dışına çıkıyordu.

Jay bu işi başarmak için tamamen farklı bir kimliğe bürünmeliydi. Arkadaşı Danny Bell bu iş için biçilmiş kaftandı. Sıradan, silik biri.

Jay'in suratında küçük ve muzip bir gülümseme belirdi. Sıradan, silik... Bu görevin üstesinden gelebilmek için bütün süper güçlerini kullanmak zorunda kalacaktı.

Londra sokakları gittikçe genişlerken, yaya sayısı da azalmaya başlamıştı. Az sonra ise şehir dışına giden bir otoyola çıktılar. Rafiq bir şeyler anlatmaya devam ederken Jay sadece koltuğunda oturuyor ve önündeki yola bakıyordu. En keyifli zamanlarında bile havadan sudan konuşmazdı.

Bir süre sonra otoyoldan çıkıp bir mola yerine geldiler. Cuma öğleden sonra trafiği ile kaynayan otoparka girdikleri sırada Rafiq arabayı yolun kenarına çekti.

"Bak bakalım."

Başıyla önümüzü gösterdi. Yaklaşık yüz metre ilerideki bir piknik masasında Bay ve Bayan Harrison oturuyordu. Ortalarında öğretmeninin favori öğrencisi olduğu belli olan, hemen hemen Jay ile aynı yaşta, gözlüklü bir kız oturuyordu. Üçü kendi aralarında sohbet ediyorlardı. Normal ve doğal görünüyorlardı.

Rafiq alçak bir ses tonuyla, "Geleceğe hoş geldin," dedi.

Gözlerini kısan Jay, düşmanların bulunduğu bölgeyi süzen bir casus gibi etrafı kolaçan etti.

"Burada doğru gitmeyen bir şeyler var," diye mırıldandı. "Bir tuzak bu."

"Ne?" Rafiq şaşkınlık içerisinde ona baktı.

"Ee, yok bir şey."

"Tuzaktan kastın nedir?" Rafiq'in sesi, Jay'in daha önce hiç duymadığı bir şekilde endişeli geliyordu.

"Ben, şey, bilmem ki..." Aniden Jay gitmiş, yerine Danny gelmişti. "Sadece arkalarında beyaz bir kamyonetin durduğunu fark ettim," dedim. "Diğer bütün kamyonetler yan taraftaki kamyon parkında duruyorlar."

Rafiq garip garip bana bakıyordu.

Omuz silktim. "Sadece kendi kendime biraz rol yapıyordum," dedim.

Arabayı vitese taktı. Neredeyse kendi kendine konuşurmuşçasına, "Zamanlaman harika," dedi. "Haydi gidip yeni aileni görelim."

Arabayı hareket ettirdi ve gidip beyaz kamyonetin yanındaki boş yere park etti. Araçtan indik. Rafiq sanki kaçacağımı düşünüyormuş gibi kolunu omzuma attı.

Harrison'lara yaklaşırken, "İşte geldik," diye bağırdı.

Üçü birden başlarını kaldırıp gülümsediler. Bay ve Bayan Harrison elimi sıktı. Gözlüklü kız Kate ile tanıştırıldım.

Bayan Harrison, "Artık eve gitsek mi?" diye sordu.

Bay Harrison oldukça yıpranmış bir steyşın arabaya doğru yürüdü. "Korkarım Rafiq'in arabasından sonra bu sende attan inip eşeğe binmiş hissi yaratacak," dedi.

"Arabalar ilgi alanım değil," dedim. Tam Kate'in arkasından arabaya binecekken Rafiq elini uzattı. "İyi şanslar Jay," dedi. "AileniSeç ofisinde aklımızda sen olacaksın."

"Teşekkürler."

Bay ve Bayan Harrison, Rafiq'e başlarıyla kısa bir selam verdikten hemen sonra yola koyulduk.

Araba, otoparkın etrafında bir daire çizdikten sonra otoyola çıkan rampaya girdi. Aşağıya baktığımda, Rafiq'in Mercedes'ine geri dönmek yerine, beyaz kamyonetin yanında durduğunu gördüm. Birisiyle konuşuyor gibiydi.

Yolculuğumuz farklı bir hal almıştı. Arabada giderken Harrison'lar havadan sudan –bu hafta sonu yapacaklarımızdan, Kate'in yeni bir okula başlayan arkadaşı hakkındaki son haberlerden– konuşuyorlar, arada sırada beni de sohbetlerine dahil ediyorlardı.

Camdan dışarı bakıyor, konuşulanların yalnızca bir kısmını duyuyordum. Günlük hayatın müziğinin, yani konuşmaların, gülüşmelerin ve diğer genel seslerin rahatlatıcı bir etkisi vardı. Yavaş yavaş sesler uzaklaşmaya başlamıştı. Başımın, arabanın camına yaslandığını hissediyordum. Sanırım yabancı bir arabada uykuya dalmaktan utanç duymam gerekirdi; ama ben tuhaf bir şekilde kendimi iyi hissediyordum.

Bayan Harrison'ın hafifçe omzumu dürtmesiyle uyandım. Gözlerimi açtığımda arabanın, ufak bir evin garajının önündeki özel yola park edilmiş olduğunu gördüm. Sağıma soluma baktığımda, diğer bütün evlere ait arabaların da aynı şekilde garaj önlerindeki özel yollarda durduklarını fark ettim. Resmi geçitlerdeki askerler kadar düzenli park edilmişlerdi.

Harrison'ların arkasından eve girdim. Küçük olmasına rağmen şimdiye kadar gördüğüm evlerin hepsinden daha düzenli bir evdi. Duvardaki eski bir şakrak kuşu resmiyle koridordaki sehpanın üzerinde duran, çerçevelenmiş okul fotoğrafına bakmak için durdum.

Kate bana odamı gösterdi. Sonra aşağıya indik ve Bayan Harrison mutfaktayken televizyonda haberleri seyrettik. Ardından beraberce akşam yemeği yedik. Ailede hiç kimse, benim fazla konuşmuyor olmamı dert etmiyor gibiydi. Bir ara Bayan Harrison kendisine 'Mary', kocasına da 'Graham' diye hitap etmemi rica etti; ileride bir gün bu isimlerin 'anne' ve 'baba'ya dönüşmesini ümit ediyordu. Kate onlara büyük ihtimalle başka isimler de takacağımı söyleyince gülüştük.

Yemekten sonra Kate ile birlikte kutup ayıları hakkında bir belgesel seyrettik. Bittiğinde, henüz vakit oldukça erken olmasına rağmen, yatmayı düşündüğümü söyledim. Yukarı çıkarken hayretler içerisinde hâlâ bu evin benim alıştığımdan ne kadar da farklı bir yer olduğunu düşünüyordum. Banyoda dişlerimi fırçaladım. Ne ortada açık bırakılmış ve ortasından sıkılmış diş macunu, ne lavaboda Kirsty'nin sivilce kremi, ne de banyo küvetinin kenarlarında sigara külü vardı. Yatak odasına gittim. Yatak yapılmış, çarşaf temizdi; yastığımın üzerinde katlanmış bir şekilde pijamalarım duruyordu.

Yatağa girip başucu lambasını söndürdüğüm sırada yavaşça kapı açıldı. Bay ve Bayan Harrison, Graham ve Mary, annem ve babam, ben uyuyormuş gibi yaparken bana bakıp birbirlerine bir şeyler fısıldadılar.

Başımın üzerine konan ve saçımı okşayan bir el geçmiş zamanlardan anılar canlandırmıştı.

Odadan çıktılar. Uyudum.

12. RÖPORTAJ: *Graham ve Mary Harrison*

MARY: *Zavallı yavrucak sarsılmış durumdaydı. Kendini toplamasına, yeni evinde ayaklarının yeniden yere* *basmasına gayret ettik. Bize geldiği gün için özel olarak hazırladığım etli böreğe nasıl saldırdığını hiç unutmayacağım. Sanki hayatında hiç ev yemeği tatmamış gibiydi.*

GRAHAM: *Kate onunla harika bir şekilde ilgilendi. İnsanları evinde hissettirmekte üzerine yoktur.*

RÖPORTAJCI: *Yani durumun gidişatından memnundunuz.*

GRAHAM: *Görüşme sırasında Rafiq'e, "Eğer muhteşem, alışılmışın dışında bir aile arıyorsanız biz size göre değiliz," dedim. Bizim verebileceğimiz şey sadece bildiğiniz DŞDS.*

MARY: *Duyarlı, Şefkat Dolu Sevgi.*

GRAHAM: *Ve eminim ki zavallı çocuğun hayatında eksik olan şey de buydu. Sert, erken büyümüş bir görüntüsü vardı. Tekrar çocuk olmasına izin verilmeliydi.*

RÖPORTAJCI: *İlk başlarda onun için de zor olmuş olmalı.*

MARY: *Kesinlikle. Biz onun alıştığının tam tersiydik. Biz sadece işleri eskiden olduğu gibi yapmayı seven, geleneklerine bağlı bir aileyiz.*

İÇ ÇAMAŞIRI SORUNU

Yabancı bir odada uyandım. Güneş perdelerin aralığından içeri sızıyor, yatağımın yanındaki şekilli duvar kâğıdına yansıyordu. Aşağıdan klasik müzik sesi geldiğini duyuyordum. Havada ılık ve leziz bir domuz pastırması kokusu vardı.

Kendime gelip nerede olduğumu anladığımda mideme, dehşete kapılmış birinin hissedebileceği türden bir ağrı saplandı. Annemi, babamı, Kirsty ve Robbie'yi düşündüm; acaba şu anda ne yapıyorlardı? Birinin başucuma bıraktığı, üzerinde saka kuşu resmi bulunan çalar saate baktım. Saat sekiz buçuğu gösteriyordu. Bu saatte bizim evde kimse ayakta olmazdı; tabi televizyon karşısındaki Robbie dışında.

Sıcak yatağımda pozisyon değiştirip iç geçirdim. Odamın, benim odamın, duvarlarında eskiden kalma resimler vardı. Meşe ağacının altında duran bir adam ve bir kadın, koyunlarını güden bir çoban, midilli üzerinde duran bir çocuk, yanında köpeği. Saydım: otuz beş çift, otuz üç çoban, otuz dört binici... Ve tam o sırada yeniden uykuya dalmış olmalıyım ki kısa bir süre sonra kendimi o geçmişten gelen manzaranın içinde buldum. Midilli üzerinde duran çocuk olmuştum; her taraftan müzik ve kuş cıvıltıları geliyordu.

"Jay."

Kelimeyi duyunca bunun yeni ismim olduğunu hatırladım. Yatağımda döndüm ve gözlerimi açtım.

Mary Harrison yatağımın kenarında duruyordu. Pencere arkasında kalmıştı; perdeleri de açmış olmalıydı, çünkü etrafından süzülen güneş ışınları onu bir an için oldukça tombul bir melek gibi göstermişti.

"Kahvaltını yatağında yapmak istersin diye düşündüm," dedi.

Öne doğru bir adım attığında gülümsediğini ve elinde bir tepsi tuttuğunu gördüm.

Tepsiyi yatağımın ucuna koyduktan sonra dik oturabilmem için arkama iki tane beyaz ve yumuşak yastık koydu. Tepsiyi kucağıma yerleştirdiğinde, bana yalnızca filmlerde var olduğunu zannettiğim türden bir kahvaltı hazırladığını gördüm: Sahanda yumurta, domuz pastırması, mantar, domates ve kızarmış ekmek.

"Bu şimdiye kadar gördüğüm en güzel kahvaltı," dedim.

"Hadi, soğumadan bitir." Yatağın diğer ucuna oturdu. "İyi uyudun mu?"

"Evet," dedim.

"Dün gece çok yorgundun. Senin için endişelendik."

"Bu pek de alışık olduğum bir durum değil."

Mary Harrison güldü. "Burada mutlu olacaksın. Bize güvenebilirsin."

"Teşekkürler."

Kahvaltıma başladığımda o da beni seyretmeye koyuldu. "Harrison Şatosu'nda seni ağırladığımız için mutlu ve gururluyuz," dedi.

Bir ağız dolusu domuz pastırması ile sadece "Mm?" diyebildim. "Şaso?"

Yeni annem tatlı tatlı güldü. "Harrison Şatosu. Graham'ın bu eve taktığı isim. Şato Fransızcada kale demek ve bir İngiliz'in evi onun kalesidir; burası da bizim evimiz. Kendi çapında yaptığı küçük bir espri işte."

Ayağa kalktı. "Kahvaltını yaparken acele etme Jay," dedi. "Daha sonra hep beraber alışverişe çıkacağız."

Bir kez daha gülümsedi ve beni kahvaltımla baş başa bıraktı.

"Buna alışabilirim."

Domuz pastırmasını ve yumurtayı mideye indirirken, daha sonra son bir kez uykuya dalmadan önce yatağımda dönerken ve son kez de kıyafetlerimi giyip Harrison ailesinin bir üyesi olarak ilk tam günüme hazırlanırken bu şekilde mırıldandım.

Evet, buna kesinlikle alışabilirdim.

Aşağı indiğimde yeni ailemi mutfakta buldum. Alışverişe gitmekten bahsediyorlardı. Dördümüz birden. Benim için.

"Next mağazasında indirim var," dedi Kate. "Çok güzel pantolonları var."

Mary, "Bence Jay'e koyu renkler yakışır," dedi.

Yeni babam Graham aralarında oturmuş, bir yandan bir kurşunkalemi emiyor, bir yandan da önündeki listeye bakıyordu. Endişeli bir ses tonuyla, "Bir bütçemiz olduğunu unutmayalım," dedi. "Bugünlerde erkek çocuklar için olan pantolonlar kaça satılıyor?"

Hiçbir fikrim olmadığını göstermek için omuzlarımı silktim.

"Tabi bir de iç çamaşırı sorunumuz var."

Bu konu hakkında şimdiye kadar pek fazla kafa patlatmamış biri gibi, "Bence de," dedim.

"Normalde alışveriş için nereye gidiyorsun?" diye sordu Kate.

ALIŞVERİŞ HAKKINDA BEŞ ÖNEMLİ MADDE

1. Bir liste yaptığınızda onu mutlaka mutfak masasında unutursunuz, o yüzden hiç uğraşmasanız da olur.

2. Hiçbir zaman aile boyu paketlerde tuvalet kâğıdı almayın. Torbaya sığmak için fazla büyükler; ayrıca sizi o

paketi taşır bir halde eve giderken görenler tuvalete gittiğinizi zannedeceklerdir.

3. Eğer çabuk ve ucuz alışveriş yapmak istiyorsanız bitpazarına gidin. Orada neredeyse istediğiniz her şeyi bulabilirsiniz; hem de alışveriş yapıyormuş gibi hissetmezsiniz.

4. Tasarruf etmek için bir ipucu daha: Son kullanma tarihlerini görmezden gelin. Onlar korkaklar içindir.

5. Ekmek almak için dışarıya çıktığınız takdirde, aile boyu pakette çikolata, yılbaşı ağacı şeklinde bir çakmak, birkaç ucuz DVD, bedava CD veren bir dergi ve sokakta dağıtılan, ablanızın bile kedi çişi gibi koktuğunu kabul etmek zorunda kaldığı bir parfüm numunesi ile eve geri döneceksiniz. Ekmeği unutarak tabi ki.

Fakat Harrison'lar ile alışverişin daha önce yaptıklarımdan çok farklı olduğunu gördüm. Bütün o indirim olan mağaza ve benim favori alışveriş mekânım hakkındaki konuşmalara rağmen, Graham yakınlardaki alışveriş merkezinde bulunan bir mağazaya gitme konusunda kararlı görünüyordu. Dediğine göre ailenin tüm bireyleri kıyafetlerini buradan temin ediyorlardı.

Dükkândan içeri girdiğimizde otuzlu yaşlarda, koyu saçlı, biraz tombula kaçan bir kadın yanımıza yaklaştı.

"Merhaba, adım Jo," dedi. "Bu mağazanın müdür yardımcısıyım. Bu sabah sizleri aramızda görmek ne kadar güzel. Size tam olarak nasıl yardımcı olabilirim?"

Ses tonu öyle nazik, gülüşü o kadar sahteydi ki bir an için bizimle dalga geçiyor zannettim.

Ancak bu durum Harrison'lara hiç de garip gelmemişti.

"Jay'e kıyafet bakıyoruz," dedi Mary.

"Merhaba Jay." Jo öyle bir gülümsedi ki az kalsın yüzü ikiye ayrılacaktı; ancak bu sefer gülümsemesi bana değil, arkamda duran büyük bir aynaya yöneltilmiş gibiydi. Tekrar bana dönüp sordu: "Pantolonlarla başlayalım mı?"

On on beş dakika boyunca, bir yandan soyunma odasına girip çıkarken, bir yandan da Harrison ailesine gösterilen bu özel ilginin sebebini anlamaya çalıştım. Biz kıyafet seçerken, Jo sanki bir mağazada değil de bir sahnedeymiş gibi gereğinden fazla yüksek bir sesle konuşup gülüyordu.

Yeni bir ben yaratacak kadar kıyafet aldıktan sonra Jo tarafından kapıya kadar geçirildik. Sanki kraliyet ailesiymişiz gibi ona sırayla, allahaısmarladık, dedik.

"Doğrusu," dedi, "bir dahaki sefere geldiğinizde ben burada olmayabilirim." Aynanın bulunduğu yöne doğru bir bakış daha fırlattı. "Kariyerime bir model olarak devam etmeyi umuyorum."

"Ne güzel," dedi Mary.

Dönüp yürümeye başladığımızda Kate, "Rüyanda görürsün," diye mırıldandı.

Bir kahkaha patlattım.

"Büyüklerine karşı biraz saygı, genç bayan."

Ciddi bir ifade takınmak için elinden geleni yapan Mary dayanamamıştı ve gülümsüyordu.

"İyimserlik konusunda on üzerinden on puan hak ediyor," dedim.

Kate yanaklarını şişirip şişko kız yürüyüşü taklidi yapınca hepimiz gülmeye başladık; tıpkı gerçek ve normal bir aile gibi.

Keyifli bir şekilde yakınlardaki bir kafeye girdik ve yemek ısmarladık. Kendi iyiliğim için gereğinden fazla rahatladığım bir sırada, Jay Harrison adındaki iyi giyimli ve neşeli çocuğun yeni hayatında bir sorun çıkıverdi.

"Günde ne kadar ödev veriyorlar?"

Soru, yemek yediğimiz sırada Graham tarafından rastgele ve arkadaşça dile getirilmişti.

"Yapması, yaklaşık bir bir buçuk saat sürecek kadar," dedim.

Graham onayladığını belirten bir şekilde başını salladı.

"Hatta," dedim, "aslında bu ara tatilde biraz daha fazla yapmam gerekiyor, çünkü İngilizce öğretmenimiz Bayan Elliott, *Sineklerin Tanrısı* hakkında bir kompozisyon yazmamı istiyor; sınıfta yazmam gerekiyordu, ama ben maalesef... unuttum gibi bir şey."

Mary gerçekten de hayal kırıklığına uğramış bir şekilde, "Ah Jay," dedi.

"Sorun değil," dedim. "Bir şekilde üstesinden gelirim. Bayan Elliott dert değil."

Kate korkutucu derecede cana yakın bir şekilde hâlâ bana bakıyordu. "Eğer kompozisyonu yazmazsan başın derde girer mi?"

"Tabi ki hayır." Konuşan yeni babamdı; şaşırmıştım. "Çünkü ona yardım edeceğiz."

"Ciddi misiniz?"

Hayattaki en yakın arkadaşımmış gibi göz kırptı bana. "Aileler böyle günler içindir."

O akşam, küçük ve biraz da şaşırtıcı bir şey keşfettim. Yeni kız kardeşimle birlikte televizyonun karşısında oturmuş, içinde bir sürü bone ve at arabası olan tarihi bir film seyrediyorduk. Çıkardıkları seslerden Mary ve Graham'ın mutfakta yemek hazırladıkları belli oluyordu.

Sıkıcı bir anda –doğruyu söylemek gerekirse filmde bu anlardan bolca vardı– Kate'in, ortamızdaki koltuğun üzerinde duran *Alice Harikalar Diyarında* kitabına öylesine uzanıverdim.

Bunu gören Kate önce beni durdurmak için harekete geçtiyse de ben sayfaları karıştırmaya başlayınca merak içinde beni seyretmeye koyuldu.

Hemen sonra neden böyle davrandığını anladım. Okuduğu sayfanın Harikalar Diyarı ile yakından veya uzaktan alakası yoktu. Bu sayfada Amerikalı iki amigo kız, sınıflarındaki oğlanlardan bahsediyorlardı.

"Son zamanlarda Alice Amerikalı oldu demek," dedim.

Kate iki kaşını birden kaldırdı.

Okudum: "Loretta nefes nefese, Brad ile aramızda sorun falan yok bir kere, dedi."

Kate gülümsüyordu. "Ne demeye çalışıyorsun?"

Kitabın başına döndüm. Adı, *Yatıya Kalan Liseli*'ydi. "Anlamıyorum," dedim.

Kate kitabı elimden aldı ve sayfaların kapakla birleştiği yerde parmağını gezdirdi. "Bunu benim için bir arkadaşımın abisi yapıyor. Son zamanlarda Narnia Günlükleri'ni, Oliver Twist'i ve Alice'i okudum. Yani en azından annem ve babam öyle düşünüyor."

"Ama neden?"

"Annem sadece klasik eserler okumam gereken yaşa geldiğime karar verdi. Ciddi ve eski olmayan, annemin deyimiyle 'saçmalık' olan ne varsa eve girmesi yasaklandı. O şimdi çok mutlu, çünkü ben bütün gün kitap okuyorum. Ben de çok mutluyum, çünkü Brad'in aklında yalnızca bir tek şey olan kaz kafalı bir atlet olduğunu, bütün okul bildiği halde onunla mezuniyet balosuna giden Loretta'nın başına neler geldiğini öğreniyorum. Böylelikle herkes mutlu oluyor."

"Anlıyorum." Tekrar televizyon ekranına döndüm. "Ben de sizlerin ne kadar normal bir aile olduğunuzu düşünüyordum."

"Öyleyiz zaten." Kate çok değer verdiği klasik kitabını kendine çekti. "Herkesin normal diye nitelendirdiği şeyler farklıdır, o kadar."

O sırada ekranda, geniş bir bahçede gezinmekte olan peruklu ve dar pantolonlu bir adam, o zamanların güzellik anlayışına birebir uymasından anlaşıldığı kadarıyla başrol oyuncusu olan bir kıza rastlamıştı.

Kate'in daha fazlasını söylemeye hazır olduğunu hissediyordum. Havadan sudan konuşurmuş gibi, "Bugün gittiğimiz dükkândaki kadının hiç de normal olmadığı kesin," dedim.

Güldü.

Mümkün olduğu kadar ilgisiz görünerek, "Ayrıca düşünüyorum da, normal olmayan başka bir şey daha vardı," dedim. "Babanın söylediğine göre o dükkâna gitme sebebimiz, sizin ailenin kıyafetlerini hep oradan alıyor olmasıydı."

"Ee?"

"Ee'si, o mağaza bir genç giyim mağazasıydı."

Kate sanki filmdeki karakterlerden biri çok ilginç bir şey söylemiş gibi kaşlarını çatmış, pür dikkat ekrana bakıyordu.

"Sence bu normal mi?" diye sordum.

"Babamı yanlış duymuş olmalısın," dedi.

13. RÖPORTAJ: Rafiq Asmal

RAFIQ: *İşte o zaman şansın yüzümüze güldüğünü takım halinde anladık. Bu çocuk, aradığımız mükemmel enerjiye*

sahipti; biraz kayıp, biraz üzgün, biraz da yeni dünyası-
na uyum sağlamak konusunda kararlı. Bir gün içerisinde
AileniSeç markasının imajı için mükemmel bir yüz haline
gelmişti bile.

RÖPORTAJCI: *Kate ve Danny'nin bir araya gelip Aileni-*
Seç'in aslında göründüğü gibi olmadığını ortaya çıkarma
olasılığı sizi endişelendirdi mi?

RAFIQ: *On üç yaşında iki çocuğun dedektife dönüşmeleri*
mi? Haydi canım siz de. Zaten biz çocukların birbirlerine
bağlanma olayını destekliyoruz. Bu da AileniSeç deneyi-
minin bir parçası.

RÖPORTAJCI: *Peki ya Bay ve Bayan Harrison?*

RAFIQ: *Anne ve baba mı? Onlar da harikaydılar. Araştır-*
macılara o konuda benden tam puan.

O gece ben yatmaya hazırlanırken cep telefonumdan babam aradı. Babam derken gerçek babamdan –biyolojik babam– bahsediyorum. Alkollü cumartesi gecesi sesiyle kelimeleri yuta yuta ne yaptığımı sordu.

"Tam da yatmaya hazırlanıyordum."

"Biraz erken değil mi?"

"Evet." Güldüm. "Çoğu zaman gece yarısından önce yatağa giriyorlar burada."

Babam bir süre dalgınlaşır gibi oldu. Herkesin nerede olduğunu sordum.

"Robbie odasında. Kirsty bizim sokağın ilerisindeki bara gitti. Annenin nerede olduğu konusundaysa hiçbir fikrim yok."

Bir kez daha sessizlik oldu. "Yarın ne yapıyorsun?" diye sordu babam.

"Hayvanat bahçesine gitme planım var."

"Ne güzel."

"Ve yapmam gereken bir ödevim var. Sineklerin Tanrısı."

Bir sessizlik daha. Konu kitaplardan açıldığında, genelde babamın söyleyeceği pek fazla şey olmaz —sadece ölmüş rock yıldızlarının biyografilerini okumuş çünkü— ama bu sefer, "Neden filmini alıp seyretmiyorsun? Özel efektlerin harika olduğunu söylüyorlar," diye mırıldandı.

"Sen Yüzüklerin Efendisi'nden bahsediyorsun baba."

"Ah, doğru ya."

Konuşacak şey kalmamışa benziyordu.

"Sen olmayınca burası sessizleşti," dedi.

Odamda tek başıma olmama rağmen başımı iki yana salladım. Mükemmel bir evlat olmayabilirim, ama aile içerisinde en az gürültü yapan kişi bendim.

"Bir ara uğrayıp patırtı yaparım," dedim.

"İyi olur evlat," dedi.

Üzgün bir şekilde vedalaştım.

Yeni annem iyi geceler dilemek için odama geldiğinde, yatağıma girmiş ve uyuyor taklidi yapmaya başlamıştım bile.

Annem ışığı kapatıp çıktıktan sonra karanlıkta gözlerim açık bir şekilde yatarken, en sevdiği şarkılarından birini söyleyen babamın boğuk sesini duyabiliyordum sanki:

"Yalnız kalmak istiyorum
Arkadaşlarım aramasınlar
İsterlerse Üçüncü Dünya Savaşı'nı ilan etsinler
Umurumda değil
Yeter ki beni yalnız bıraksınlar."

NE KADAR DA YASALARA SAYGILI
BİR AİLE

Sanki gece garip bir şeyler olmuş ve yastığımın yumuşaklığından geçip kafamın içine sızmış gibi, o pazar sabahı uyandığımda kendimi tuhaf bir şekilde Harrison'lardan biri gibi hissettim.

Yatakta uzanırken bir yandan aşağıdaki mutfaktan gelen günün ilk hayat belirtilerini dinledim, bir yandan da yeni hayatım hakkında düşüncelere daldım.

Harrison'ların evinde neredeyse insanı ürküten bir düzen vardı. Gloria Konutları, No:33'te gürültüden kaçmak imkânsızdı; pencerelerden, duvarlardan, televizyon ekranından üzerinize doğru geliyordu gürültü. Burada ise her yer huzurlu ve izole edilmiş, Bay ve Bayan Harrison'ın yarattığı aile yaşantısı sayesinde dış dünyanın kabalığından korunmuştu.

Nereye bakarsam bakayım, Harrison Şatosu'nun bir parçası olmanın ayrıcalığını hatırlatan şeyler görüyordum. Hiçbir şey şansa bırakılmamıştı burada; ne şimdi, ne de gelecekte.

Kate'in odasında, yatağının arkasındaki duvara yapıştırılmış bir kâğıt görmüştüm. Ondan başlayıp yirmi beşe kadar devam eden, ciddi görünümlü siyah mürekkeple yazılmış maddelerden oluşan bir tür listeydi bu. Başlığı, 'KATHERINE NICOLA HARRISON: Hayat Planı' idi ve '10: Henrietta Barnett Lisesi'ne kabul edildi' maddesinden itibaren üniversite (Oxford/Cambridge) ve sonrasına kadar bütün sınavlar ve adımlar sıralanıyordu. Son madde '25: Yeminli muhasebecilik sınavlarını kazanmak ve ilk tam zamanlı işe kabul edilmek' idi. Son satırda üç adet küçük soru işareti vardı.

Kate'e bu liste hakkında soru sorduğumda bu konuyla ilgilenmeme şaşırmış göründü. Dediğine göre bu, bir tür şakaydı; birkaç yıl önce annesi ile beraber yazmışlardı. Ancak sonradan listeye baktığımda, Kate'in bugünkü yaşına gelene kadar geride kalmış olan maddelerin yanında birer onay işareti bulunduğunu gördüm. Demek ki bu ana kadar Kate'in hayatı, plana uygun gidiyordu.

Harrison'lar böyle insanlardı işte. Bir şey planlanıp listeye eklendiğinde işler yolunda sayılıyordu. İçinde, o küçük soru işaretlerinden bolca bulunduran bir hayat ise onlara göre kötü bir hayattı.

Yeni anne ve babama göre, dışarıdaki dünyaya güvenmemek gerekiyordu. İşte bu yüzden Kate klasik eserler okumak durumundaydı. Bana hazırladıkları hoş geldin paketinde, doğru televizyon programları ve doğru gazeteler konusuna yine bu yüzden o kadar önem verilmişti.

Ve tahminimce yine bu yüzden, neredeyse her odada, genelde yüksek bir köşede, göz kırpan küçük bir kamera bulunuyordu. Bu kameralar evlerini korumak isteyen insanlar tarafından kullanılıyordu; ancak böyle sakin bir bölgede kullanılması tuhafıma gitmişti.

Bu arada daha önemli ve acil çözüm bekleyen bir sorunum vardı. İtiraf zamanı gelmişti.

O pazar gününün ilerleyen saatlerinde Graham ve ben odamda oturmuş, *Sineklerin Tanrısı* ve modern toplum konusu hakkında konuşuyorduk. Yazacaklarımın ana hatlarını az çok ortaya çıkarmıştık; ancak yeni babamdan çaktırmadan biraz daha yardım isteyince –peki tamam, ne yazacağımı kelimesi kelimesine söylemesini istediğimde diyelim– gitmek için ayağa kalktı.

"Üç sayfa yazman yeterli olur," dedi.

Derin bir nefes aldım.

"Aslında bir şey daha vardı." Çantama uzanıp Bayan Elliott'ın bana verdiği zarfı çıkardım. "İşte bu." Zarfı ona uzattım.

Zarfın ön yüzüne baktı.

"Gerçek adım Bell," dedim. "Danny Bell."

"Evet." Her nedense şaşırmamış görünüyordu.

"Jay'i, şey... güvenlik açısından uydurdum."

"Anlıyorum." Yeni babam zarfı açıyordu.

"O da Bayan Elliott'ın aileme yolladığı bir mektup. Kendisi öğretmenim olur."

Graham mektuba göz gezdirdi.

Okumayı bitirdiğinde, "Eğer onları ara tatilde görmek istiyorsa öğretmenin ciddi olmalı," dedi. "Demek ailen Bayan Elliott'ı görmeye çarşamba günü gidecek."

İrkildim ve hayır anlamında başımı iki yana salladım. "Böyle bir şey yapmazlar; hiç yapmadılar," dedim. Bir an durakladım. "Bu da iyi bir şey. Çünkü hiçbir öğretmen onların neye benzediklerini bilmiyor."

Bu konuşmanın nereye gittiğini anlamak yeni babamın beş saniyesini aldı.

"Bunun iyi bir fikir olduğunu sanmıyorum," dedi. "Başımız ciddi bir şekilde belaya girebilir."

Kaşlarımı çattım. Sanki yeni ailemle olan hayatımda yasal olmayan bir şey yapıyor gibiydim. "Ama Rafiq bana devletin bile AileniSeç'e olumlu baktığını söylemişti," dedim. "Çocukluğun seçim yapabilmek demek olduğu hakkında o kadar şey söylemişlerdi."

"Tabi ki haklısın." Graham elini çalıya benzeyen saçlarında gezdirdi. "Ama zamanlama önemlidir. Diğer... anne babanı da düşünmemiz lazım."

"O zaman öyle ya da böyle başımız belaya girecek," dedim. "Bakanlık görevlisi gelip de evde bile yaşamadığımı gördüğünde bu AileniSeç işi de kabak gibi ortaya çıkacak."

Graham elindeki mektuba baktı ve "Oysa biz ne kadar da yasalara saygılı bir aileydik," diye hayıflandı.

14. RÖPORTAJ: Mary Harrison

MARY: *Her ne kadar bunu Graham'a söylememeye karar verdiysem de, daha ilk zamanlarda Jay'in ya da şimdi kullanmak zorunda olduğumuz ismiyle Danny'nin, kızımız Kate üzerindeki etkisi konusunda endişelenmeye başlamıştım.*

RÖPORTAJCI: Onu yoldan mı çıkarıyordu?

MARY: *Hayır, böyle bir şeyin olmasına izin vermezdim. Daha kurnazca ve derinden hareket ediyordu. Kate yaşıtlarına oranla çok saf ve gözü açılmamış biri. Bu yüzden de onun dış görünüşü konusunda endişeye kapılmasını ya da diğer bütün arkadaşları gibi son çıkan zırva müzikleri dinlemesini engellemeye çalıştık. Üniversite sınavını geçtikten sonra bunlar için yeteri kadar zamanı olacak zaten.*

RÖPORTAJCI: Yani Danny yüzünden görünüşüne önem vermeye başladı?

MARY: *Kate'te küçük değişiklikler fark ettim: Kaşlarını almaya ve cildine nemlendirici sürmeye başlamıştı. Giymesini istediğim kıyafetler konusunda oldukça kaprisli oluyor, kıyafetlerini kendisinin satın alıp alamayacağını soruyordu. Gençliğe özgü bir özgürlük havası sezmiştim ve bu beni rahatsız ediyordu.*

RÖPORTAJCI: Ama o artık neredeyse bir genç kız sayılmaz mıydı?

MARY: *Kate bir çocuğun kalbine sahiptir. O yüzden gereğinden hızlı büyümemesi çok önemliydi.*

Pazartesi akşamı, dördümüz mutfakta yemek yediğimiz sırada yeni annem ve babam verdikleri kararı açıkladılar.

"İçinde bulunduğumuz sıra dışı şartlardan dolayı, Bay ve Bayan Bell'mişiz gibi davranıp öğretmenin Bayan Elliott ile görüşmeye karar verdik."

"Kılık değiştireceksiniz." Kate eliyle ağzını kapattı.

Yeni annem, "Ona gerek kalmayacağına eminim," dedi. "Öğretmeni Danny'nin gerçek anne ve babasını hiç görmemiş ve neye benzedikleri hakkında hiç fikri yok."

"Ahh..." Aklıma azıcık endişelendirici bir düşünce gelmişti. "Sanırım bu yüzde yüz doğru değil."

Yeni ailem gözlerini bana dikmişti.

"Sorun şu ki Bayan Elliott oldukça meraklı bir insandır ve kısa süre önce annem ve babamın ne işle uğraştığını sormuştu."

"Peki ne işle uğraşıyorlar?" diye sordu yeni annem.

"Annem bir emlak firmasında çalışıyor," dedim.

"Daha kötüsü de olabilirdi."

"Ve babam da..." Graham'a döndüm, "bir rock yıldızı."

Kate dayanamayıp bir kahkaha patlattı.

Yeni babam, "Bir rock yıldızı mı?" diye inledi. "Ama ben hayatım boyunca yalnızca bir albüm aldım."

"Zor bir iş değil," dedim. "Gitarından bahsederken balta kelimesini kullanman, huysuz biri gibi görünmen, bir de evlat ve bebek kelimelerini sık kullanman gerekiyor."

Yeni annem yutkundu ve Graham'a döndü. Sadece büyüklere mahsus bir homurdanma ile, "Bu konuda endişelerim var," dedi.

Graham başıyla onayladı. Stresli zamanlarda Harrison ailesinin sadece iki üyesinin kaldığını, Kate ve benim bir şekilde görünmez olduğumuzu fark etmiştim.

"Belki de bu konuyu Rafiq ile konuşmalıyız," dedi Graham.

"Yasadışı bir şey yapmıyorsunuz," dedim. "Rafiq yakında herkesin AileniSeç deneyimini yaşamak isteyeceğini düşünüyor."

Yeni annem ve babam kısa bir süre bana bakakaldılar; pek az rastlanan bir olay olmuş, ikisi de söyleyecek bir şey bulamamıştı.

Graham, "Ben pop müzik bile sevmem," diye mırıldandı. Üçümüz birden ona baktık ve onu damarlarında 'rock and roll' akan bir adam olarak hayal etmeye çalıştık.

Kate, "Aldığın o tek albüm hangisiydi baba?" diye sordu.

"Rüzgârda Bir Kandil."*

* Candle in the Wind. [Ç.N.]

ETKİLEYİCİ

Artık biraz da başkalarının rol yapma zamanı gelmişti.

O çarşamba günü öğleden sonra Harrison'lar normalden daha erken bir vakitte eve döndüler, odalarına kapandılar. Bir baloya katılacakmış gibi ciddi bir şekilde Bayan Elliott'la olan görüşme hazırlıklarına başladılar.

Salonun girişinde belirdiklerinde ben ve Kate televizyon seyretmekteydik. Mary bir emlakçı gibi görünmenin en iyi yolunun, bir cenaze töreninde sırıtmayacak siyahlıkta bir etek ve ceket giymek olduğuna karar vermişti.

Yeni babamsa sanki bir 'altmışlar partisi'ne gidiyormuş gibiydi. Beyaz bir gömlek giymişti ve kravat takmamıştı; altında çırpı bacaklarına yapışan bir kot vardı. Seyrekleşen saçlarına bir tür jöle sürdüğü belli oluyordu.

Kate gözlerine inanamamış bir şekilde güldü; ama Graham onu görmezden gelip gözlerini bana dikti. Ağzını yaya yaya, "Nasıl olmuş... evlat?" diye sordu.

"Etkileyici," dedim.

Bir yanımda iş dünyasından fırlamış bir zombi, diğer yanımdaysa saçı jöleli, çöpten bir böcekle sınıfa girdim. Ve Bayan Elliott bize dünyanın en normal ailesiymişiz gibi baktı.

"Ah, Bay ve Bayan Bell." Ayağa kalkıp elini uzattı. "En sonunda karşılaşabildik."

Graham ayaklarını sürüyerek yavaşça öne doğru hareket etti. "Hey, çak bakalım," diyerek Bayan Elliott'ın uzattığı ele vurmaya çalıştı, ancak ıska geçti.

Gidip misafir sandalyesine çöktü; az önceki yürüyüş onu yormuş görünüyordu. Mary, Bayan Elliott'ın elini sıktı ve oturdu. Ben de aynısını yaptım.

Öğretmenim, "Geldiğiniz için çok teşekkür ederim," dedi. "Danny'den öğrendiğime göre sizler akşamları da çalışıyorsunuz, o yüzden buraya gelmeniz zor olmuştur."

"Gösteri dünyasında olmak başka hiçbir şeye benzemez bebek." Graham elini saçlarında şöyle bir gezdirdi; eline bulaşan jöleyi de pantolonuna sürdü.

Bayan Elliott'ın konuşkan bir gününde olduğunu görmek beni telaşlandırmıştı. "Komik olan şu ki öğretmenliğe başlamadan önce ben de bir müzik grubundaydım. Siz ne tür şeyler çalıyorsunuz?"

Graham benim bulunduğum yöne doğru baktı. Çaktırmadan sağ elimle gitar çalıyormuş gibi yaptım.

"Piyano çalıyorum bebek," dedi.

Öğretmenim şaşırmış görünüyordu. "Danny'nin gitar çaldığınızı söylediğini hatırlıyorum."

"Ah, tabi... evlat... bebek." Yeni babamın bocaladığı belli oluyordu.

Hiç vakit kaybetmeden, "Hangi parçayı çaldığınıza bağlı, öyle değil mi baba?" dedim.

"Ah, şarkı, evet," dedi. "Hani o herkesin bildiği Candle in the Wind'i çalarken piyanonun baş…"

"Klavye," diye fısıldadım.

"O da var," dedi. Ama şeyi çalarken," Graham'ın yüzünde bir an panik ifadesi belirdi, "başka bir şey çalarken, yalnızca gitar çalıyorum."

Bayan Elliott'ın, yeni babamın bu zavallı oyunculuğuna kandığını görünce az kalsın küçük dilimi yutacaktım. "Kendinizi müzikle ifade edebilme özgürlüğüne sahip olmak harika olmalı," dedi. "Sanat icra ederek geçinenlerin, yaşayan en şanslı insanlar olduklarını düşünmüşümdür hep."

Rock yıldızının yüzünde Graham'a ait olduğu belli olan bir ekşime belirdi.

"Bir açıdan doğru, bebek, ama bir açıdan da değil. Diyelim ki sürekli bir işim var; belediye meclisinin muhasebe bölümünde çalışıyorum, diyelim. O zaman düzenli bir maaşım, uygun çalışma saatlerim ve yaşlılık zamanlarım için oldukça iyi bir emeklilik planım olurdu. Daha da ötesi, insanlığa gerçekten faydalı bir şeyler yapmış olurdum. Muhasebecilik... çok havalı bir iş aslında."

Bayan Elliott bir şey soracakken Mary araya girip, "Sadede gelsek iyi olacak," dedi. "Satmam gereken bir ev var."

Bayan Elliott'ın bakışlarından, yeni ailemin onu ne kadar büyülediği açıkça belli oluyordu. Muhasebeciliğe karşı tuhaf bir ilgi duyan sahte bir rock yıldızı ile emlakçı karısının gerçek Bay ve Bayan Bell'den çok daha ilgi çekici olduğu ortadaydı.

"Pekâlâ," dedi. "Sizi görmek istememin sebebi, Danny'nin derslerine olan ilgisi hakkında oldukça endişelenmeye başlamam. Bir türlü kendini veremiyor."

Graham, yaptığımı onaylamadığını belirtmek için kafasını iki yana sallıyordu. "Durum kötü bebek," diye mırıldandı.

"Geçen hafta bir kompozisyon ile ilgili sorunumuz oldu," dedi Bayan Elliott.

"Ah, evet." Bir melek gibi gülümsedim ve çantamdan çıkardığım kompozisyonu masasının üzerine bıraktım. "Özür dilerim Bayan Elliott, biraz geciktirdim."

Ödevimi eline alıp ilk sayfaya göz gezdirdi; herhalde yine o deli saçması hikâyelerimden birini yazıp yazmadığımı kontrol ediyordu.

"Bu güzel bir sürpriz," dedi. "Oldukça da iyi görünüyor. Sana ne oldu böyle?"

"Birtakım değişiklikler yaptık bebek," dedi yeni babam. "Bundan sonra bizim evlat okul açısından, kompozisyon açısından, *Sineklerin Tanrısı* açısından hep başarılı olacak."

"Doğruyu söylemek gerekirse bunu duymak beni çok rahatlattı." Öğretmenimin mutluluktan gözleri parlıyordu. "Danny'nin şimdiye kadar sizi benden neden sakladığını bir türlü anlayamıyorum."

Bir dakika. Önce yeni anneme, sonra da yeni babama bir bakış fırlattım; içlerinden birinin beni savunacağını, kimseyi kimseden saklamadığımı açıklayacağını bekliyordum. Ancak yüzlerindeki 'evet biz gerçekten de harika bir anne babayız' gülüşünü hiçbir şeyin engellemesine izin vermeyeceğe benziyorlardı.

Mary beni kastederek, "Zor bir yaşta," dedi. "Siz de bilirsiniz."

"Siz değişik bir ailesiniz." Bayan Elliott'ın gülüşü şefkat doluydu. "Danny'nin bu farklı kişiliğini nereden aldığını görebiliyorum."

Neşesizce gülümsedim. Pes doğrusu Bayan Elliott.

Önündeki dosyayı kapattı. "Ah, ayrıca bir gün gelip grubunuzu dinlemeyi de çok isterim Bay Bell. Adı neydi?"

Graham'ın yüzüne panik dolu bir gülümseme yapışmıştı. "Kandiller," dedi.

"Ah... Güzel bir isim. Genelde nerede çalıyorsunuz?"

"Ee..."

"Eve gittiğimizde konser programına bakarım," dedim. "Babamın hafızası bugünlerde pek iyi değil." Gülümsedim. "Rock and roll hayatı işte, bilirsiniz ya? Yaşlı beyin hücrelerini mahvediyor."

"Hey…" Yaşlı Graham tam bir şey söylemek üzereyken kendini tuttu. "Bu haylaz ne zaman adam olacak?" Ailecek kapıya yöneldiğimizde yumruğunu sıkıp havaya kaldırarak selam verdi. Kendimizi dışarıya attık.

15. RÖPORTAJ: Diana Elliott

BAYAN ELLIOTT: *Bu olayın bence en önemli noktası, anne ve babasının sonunda kendilerini göstermiş olmalarıydı. Ben hep Danny'nin evde bazı sorunlarla karşılaştığını düşünürdüm. Artık ailesiyle tanıştığım için o sorunların ne gibi sorunlar olabileceğini anlayabiliyorum. Ama en azından artık onlarla tanışmıştım; bu büyük bir ilerlemeydi.*

RÖPORTAJCI: *Onları gördüğünüzde bir terslik olduğundan şüphelendiniz mi?*

BAYAN ELLIOTT: *Ters olmayan bir şey yoktu ki? Ama siz de bilirsiniz, her yönüyle normal çok az aile var. Danny'nin annesinin biraz garip biri olduğunu, babasının da pop star olma rüyası ile yaşadığını görebiliyordum, ama birçok aileye oranla oldukça düzgündüler. En azından bu sefer görüşmeye gelmişlerdi.*

RÖPORTAJCI: *Peki o görüşmeden sonra ne yaptınız?*

BAYAN ELLIOTT: *Danny'nin dosyasına "PAB" yazdım ve gelişiminin takip edilmesi gerektiği konusunda not düştüm. Her ne kadar kompozisyonunu getirip beni şaşırttıysa da bir şeyler çevirdiğini ve benden gizlediğini hissetmiştim.*

RÖPORTAJCI: *"PAB" ne anlama geliyor?*

BAYAN ELLIOTT: *Problem anne baba.*

Eve döndüğümüzde Kate hâlâ arkadaşındaydı. Bayan Elliott ile yaptığımız görüşmeden sonra kendimi boşlukta hissediyordum; şimdi de mükemmel ve terbiyeli öğrenci rolüne uygun olarak kitap okumak için odama çıktım.

Banyodan yeni anne ve babamın sesleri duyuluyordu. Graham duşa girmiş, saçındaki jöleyi yıkamaktaydı. Beraberce gülüyor, bugün oynadıkları oyunun başarısı hakkında konuşuyorlardı.

Bir süre onları dinledikten sonra boğazımda bir üzüntü ve kızgınlık düğümü hissedince şaşırdım. Beraberken çok mutluydular; yanlarında Kate ya da ben varken bu kadar mutlu olmuyorlardı. Espri konusu yaptıkları şeyse tabi ki Bayan Elliott değildi: Gerçek anne ve babama gülüyorlardı. Graham ve Mary için anlamsız ve gülünç olan şeyler –rock müziği, gitarlar, emlakçı taklidi yapmak– benim eski dünyamdaki gerçek hayattı.

Ve ben de bu komedide bir rol oynamıştım. İçim acıyordu; aynı kanı taşıdığı insanlara ihanet eden biri gibi hissediyordum kendimi.

16. RÖPORTAJ: *Kate Harrison*

KATE: *Danny bizi değiştirdi. Annem ve babam hayatlarını her zaman son derece düzenli bir şekilde yaşadılar; onlar için doğru şeyleri, doğru zamanda yapmak çok önemlidir. Bu sıkıcı oldukları anlamına gelmiyor tabi, ama düzenin değerli olduğuna inanırlar.*

RÖPORTAJCI: *Danny bütün bunları nasıl değiştirdi?*

KATE: *Bu AileniSeç işini kabul ettikleri andan itibaren her nasılsa farklı insanlar haline geldiler. Tam olarak adını koyamıyorum, ama daha maceraperest, hatta daha azimli oldular, diyebilirim. Eskiden hayatlarımızı basit bir şekilde yaşıyorduk. Ama Danny geldikten sonra sürekli bir gösteriş çabası içine girdiler; sanki ne kadar harika birer anne baba olduklarını kanıtlamaya çalışıyorlardı.*

RÖPORTAJCI: *Danny'yi seviyor muydunuz?*

KATE: *İlk başlarda hayır. Sessiz ve pısırık biri olduğunu düşünmüştüm. Ama sonra fikrimi değiştirdim. Yaptığı şeyin ne olduğunu açıklamak zor, ama annem ve babamın onaylamadığı zamanlarda bile sorular sorarak, espriler*

yaparak içimdeki gerçek beni ortaya çıkarttı. Kuşevinde
gördüğümüz farklı kuşlar hakkında hikâyeler anlatır, ne-
ler yaptıklarından bahsederdi. Babam, "Aslında benekli
bilmem ne kuşu hiçbir zaman öyle bir şey yapmaz," di-
yecek olurdu, ama Danny aldırmadan hikâyesine devam
ederdi. "İşin aslı şu ki, bu kuş birkaç serseri saksağan ile
takılmış ve onlardan hiç de hoş olmayan bazı alışkanlıklar
kapmış," der, babam da bir şeyler mırıldandıktan sonra
kızgın bir şekilde uzaklaşırdı.

RÖPORTAJCI: İşlerin kötüye gittiğini hissetmiş miydin?

KATE: Pek sayılmaz. Eve Danny'nin gelmesiyle birlikte
hayatın biraz daha sürprizlerle dolu olduğunu öğrenmiş-
tim. Bu da hoşuma gidiyordu.

O gece yeni annem bana iyi geceler dilemeye geldi. Ya-
tağın yanına oturdu ve elimi okşadı. "Okulundaki ufak so-
runu hallettik, öyle değil mi?"

"Evet hallettik. Teşekkür ederim."

"Babanın bir rock müzisyeni olacağı kimin aklına gelir-
di ki?"

"Doğru."

Yeni annem günün olayları hakkında daha fazla konuş-
mak istemediğimi anlamış olacaktı ki az sonra ayağa kalkıp
iyi geceler diledi.

"Yakında arkadaşlarımdan birini görmek istiyorum,"
dedim.

"Ne?"

Mary yeniden yatağa oturdu; yüzünde artık çok iyi bildiğim o endişeli ifade vardı.

"Arkadaş sahibi olmak yasadışı bir şey değil," dedim.

"Açıkçası, biz genelde şöyle yaparız," dedi. Mantıklı, uzlaşmacı bir ses tonuyla konuşuyordu. "Ziyaret edecek arkadaşların önceden haber vermesini tercih ederiz, sonra da bu durumu ailecek görüşürüz."

"Neden?" diye sordum.

Yeni annem böyle bir soru sormaya gerek duymuş olmama şaşırmış görünüyordu. "Çünkü bu alıştığımız aile düzenini bozan bir durum Danny. Biz bir takımız, bunu sen de biliyorsun. Hepimiz bu takımın birer parçası gibi hareket etmek zorundayız."

"Zorunda mıyız?"

Mary sabırla iç geçirdi. Tatlı bir sesle, "Tabi ki herkesin seçim yapma özgürlüğü olduğuna inanıyoruz," dedi. "Ayrıca senin de uygun şekilde davranacağına inancımız tam."

"Belki de bana göre uygun olan davranış, istediğim zaman arkadaşlarımı görebilmektir." Alçak ve kararlı bir ses tonuyla konuşmuştum. Cevap vermesine izin vermeden uyumak üzere sırtımı döndüm.

Bir süre —on veya on beş dakika— sonra yatağımın yanında duran cep telefonum çalmaya başladı. Arayan Rafiq idi.

"Harrison'ların ev kurallarına uymayarak AileniSeç'in şeref sistemini ihlal etmeyi planlamıyorsun, değil mi Danny?"

"Rafiq, saat kaç?"

"Saatin önemi yok. AileniSeç'in şeref sistemini ihlal mi ediyorsun?"

Başucu lambasını yaktım ve yatağımda oturdum. "Şeref sistemi mi? Sen neden bahsediyorsun?"

"Bu durum sık görülmese de eğer AileniSeç müşterilerinden biri yaramazlık yapıp şeref kurallarını yok sayarsa ona ilk uyarısını veririz. Eğer ikinci uyarıyı verecek kadar talihsizsek müşterimiz eski ailesine teslim edilir."

"Bayan Harrison uygun bir şekilde davranmam gerektiğini söyledi. Ben de öyle yapmayı düşünüyorum."

Yumuşak bir sesle, "Seçim yapabilmek iyi bir şeydir. Biz çocukların seçim yapma özgürlüğü olduğuna inanıyoruz," dedi Rafiq. "Ama görünen o ki sen Harrison'ların kurallarına uymayarak yanlış bir seçim yapmak üzeresin."

Silkinip kendime gelmeye çalıştım. Bu telefon konuşması garip bir rüya gibi gelmeye başlamıştı. Yanlış yaptığında başının derde girdiği bir seçimin, ne tür bir özgürlük olduğunu sormaya fırsat kalmadan Rafiq, gece yarısı nutkuna devam etti:

"Sana ne yapacağımızı söyleyeyim. İlk uyarını almış durumdasın. Anne ve babanla iyi geçin, yoksa senin için her şey biter. Evine geri dönersin ve öğretmeninle buluşması için yanında sahte anne baba götürdüğünü okuluna bildiririz. Anlaşıldı mı?"

"AileniSeç'in iyi ve dürüst bir şirket olduğunu sanıyordum."

Rafiq pis pis güldü. "Ah, bizim için endişelenme. Başı belaya giren sen olacaksın."

Veda bile etmeden telefonu kapattı.

MUTSUZ KUŞ TAKİPÇİLERİ

Harekete geçmenin zamanı gelmişti; bu da son birkaç gündür sesi çıkmayan eski bir arkadaşı arayacağım anlamına geliyordu.

Bir adım öne çık, Jay Daniel Bellingham.

Fakat bana özel süper kahramanımın kimliğine bürüneceğim an geldiğinde, hiç beklenmedik bir olay oldu.

Kafamın içinde Jay bu yeni maceraya hazırdı, ama Danny'nin yerinden kıpırdamaya niyeti yoktu. Bu sefer işler farklı yürüyecek, bizim sıradan ve kendi halindeki Danny'miz, dünyanın gördüğü en muhteşem genç kahramanın yardımını almadan bu işi başaracaktı.

Cuma akşamı Graham'a telefon geldiğinde yemek yiyorduk. Sofraya geri döndüğünde gözlerinde heyecan ışıltıları vardı.

Mary'ye, "Çöl kuyrukkakanı..." dedi. "Yetişkin bir erkek. Minsmere civarındaki sahilde."

Mary'nin heyecandan nefesi kesilmişti.

"Dün görülmüş," diye devam etti Graham. "Ülkenin dört bir yanından insanlar geliyor. Buralarda en son doksan yedi yılında rastlanmış."

Mary gülerek, "Ve yarın günlerden cumartesi," dedi. "Kitap, dürbün, not defteri; saat 6'da yola çıkabiliriz."

Kate'e, burada ne oluyor allah aşkına, bakışı fırlattım.

"Yarın kuş gözlemlemeye gidiyoruz." Graham'ın sesi oldukça neşeliydi. "Tam sana göre Danny."

Kate inledi. "Kuş gözlemi değil o. Kuş takipçiliği. Bir sürü balon şapka ve değerli küçük defterlerine bir şeyler karalayan kasvetli insanlar. Ne kadar da sıkıcı."

"Katherine!" Mary kızının bulunduğu yöne doğru sert bir uyarı bakışı fırlattı. "Çok ayıp!"

Masumca, "Kuş takipçiliği nedir?" diye sordum.

Büyük bir hataydı. Gecenin geri kalanı ve ertesi sabah boyunca sorumun cevabını gerektiğinden çok daha detaylı bir şekilde aldım.

Görünüşe göre ülkenin dört bir yanında, garip bir tutkuya sahip insanlar vardı. Mümkün olduğu kadar çok sayıda kuş gözlemliyor ve gözlemlerini not alıyorlardı.

Olay bundan ibaret. Takipçilik, benim yaptığım gibi kuşlardan zevk almak değil, onları görüp bir listeye çentik atmak demek. Bazı insanlar sırf az bulunan bir tür ördek veya tarlakuşu görebilmek için ülkeyi boydan boya kat ediyorlar.

Siz bunun delilik olduğunun farkındasınız, ben bunun delilik olduğunun farkındayım; ama yola çıktığımız o bulutsuz ve ışıltılı sabah bunu yüksek sesle söylemeye hiç niyetim yoktu. Onların oğulları olarak geçirdiğim bir hafta içerisinde yeni anne ve babamı hiç bu kadar heyecanlı bir bekleyiş içerisinde görmemiştim. Başka bir dünyada gibiydiler. Kate de bunu hissetmişe benziyordu, çünkü yanımda oturmuş, hiçbir şey söylemeden kitabını okumakla meşguldü.

Uzunca bir süre camdan dışarıyı seyrettim. Londra farklı yüzlerini sunuyordu: Dükkânların yerini, düzgün bir biçimde sıralanmış tuğladan evler alıyor, iş merkezleri ise yerlerini düzensiz bir şekilde serpilmiş boş arsalara bırakıyordu. Şehrin griliği, yaz ayının şehir dışındaki rengi olan yeşil ve altın renklerine dönüşüyordu.

Gitmek istediğimiz yere vardığımızda saat sekizi biraz geçiyordu. Cumartesi günü için erken bir vakit sayılsa da bir tepeden sahile bakan küçük otoparkta daha şimdiden on beş araba toplanmıştı.

Durduğumuz anda kendimi arabadan dışarı attım. İlk kez gerçek bir deniz ve plaj görmüştüm. Kate ile birlikte, tıpkı televizyondaki insanların yaptığı gibi, dalgalarda oynamak için şiddetli bir arzu duyuyordum; ancak Graham şaşırtıcı keskinlikte bir ses tonu ile beni durdurdu.

"Buraya çöl kuyrukkakanını görmeye geldik," dedi. "Bunu yaptıktan sonra oynayabiliriz."

"Siz kuşu arayın," dedim. "Sizinle daha sonra buluşabiliriz." Destek almak için yeni kız kardeşime döndüğümde yüzüne o tanıdık, ne düşündüğünü belli etmeyen ifadenin yerleşmiş olduğunu gördüm.

Graham beni duymazlıktan gelerek arabasının bagajını açtı ve kuş takipçisi kıyafetini –yeşil ceket, yünlü şapka, dürbün, fotoğraf makinesi– giymeye başladı. Yeni annem ve babam çöl kuyrukkakanı için hazırlık yapmaya devam ettikçe, savaşa hazırlanan amatör askerlere benziyorlardı.

Graham, "Nerede olduğunu bulacağım," dedi Mary'ye. Grup halinde duran bir grup takipçiye doğru yürüdü.

Kate'e alçak sesle, "Yalnızca kahrolası bir kuş," diye mırıldandım, bana bakıp gülümsedi.

"Pardon ama o bir çöl kuyrukkakanı, tamam mı?"

Graham geri döndüğünde, yüzünde sanki az önce biri ölmüş gibi bir ifade vardı. Trajik bir sesle, "Gitmiş," dedi. "Az önce aşağıdaki sahildeymiş." Elli metre uzakta tek başına duran bir kayayı gösterdi. "Son yirmi saattir orada duruyormuş ve yaklaşık bir saat önce... uçup gitmiş."

"Sanırım kuşların da olayı bu," dedim.

Mary, "Dalga geçilecek zaman değil," dedi.

"Belki de buraların biraz kalabalıklaşmaya başladığını düşünmüştür," dedi Kate.

Babası, "Cingözlük yapmaya çalışma Kate, sana hiç yakışmıyor," dedi.

Yeni annem ve babam, elleri ceplerinde, ünlü çöl kuyrukkakanına ne olmuş olabileceğini tartışmaya başladılar. Göç yolunda ilerlemeye devam etmiş olabilirdi ki, bu büyük bir felaket demekti; çünkü eğer öyleyse havalanmıştı ve şu anda denizi geçmekteydi. Ya da kendine kum tepeleri ve çam ağaçları arasında dinlenecek başka bir yer bulmuştu. Daha şimdiden bazı takipçiler bu yeri aramaya başlamışlardı ve cep telefonları sayesinde iletişim halindeydiler.

"Belki de iki gruba ayrılıp aramalıyız," dedim. "Ben Kate ile birlikte bir tarafa giderim, siz de öbür tarafa. Eğer bir şey bulursak sizi ararız."

Graham ve Mary birbirlerine baktılar. Arkalarından gelen iki çocuğun esprilerine maruz kalmadan takipçilik yapabilme fikrinin ikisine de cazip geldiğini görebiliyordum.

Mary arabaya doğru döndü: "Kate bizimle beraber gezmeyi tercih eder, öyle değil mi Kate?"

Kate omuzlarını silkti. "Danny ile de gezebilirim."

"O zaman sağda solda oyalanmak yok," dedi Mary. "Kuşu gördükten sonra sahilde oynayabilirsiniz. Anlaşıldı mı?"

Başımı evet anlamında sallarken, bana doğru gizli bir gülüş yollayan Kate'in de aynısını yaptığını gördüm.

"Bir saat sonra arabanın yanında buluşuyoruz."

Graham, askerlerine emir veren bir subay gibi konuşuyordu.

Kabul ettik ve paltolarımızı giyip otoparktaki bir grup mutsuz kuş takipçisinden uzaklaştık. Özgürdük.

Sahil boyunca, çöl kuyrukkakanını arayan öbek öbek kuş takipçilerini görebiliyorduk. Bu yüzden deniz kenarından uzaklaşıp kum tepeleri ardındaki bodur ağaçlara doğru yöneldik.

Yanımda yürüyen Kate, ayağındaki yürüyüş botları, kılavuz kitapçıkların sığması için büyük cepleri olan su geçirmez montu ve boynunda asılı duran dürbünüyle tam bir küçük takipçi imajı çiziyordu.

Ne zaman bir kum tepesinin en üst noktasına çıksa dürbünüyle önce bir yöne, sonra da diğer yöne bakıyordu. Bunu yaparken dalga geçiyormuş gibi bir hali vardı; sanki bu esrarlı kuşu bulma konusunda anne ve babasının olmasını arzu ettikleri kadar istekli değildi.

Gri renkteki dev su birikintisine bakarak, "Daha önce hiç deniz görmemiştim," dedim.

Bana baktı. "Hiç mi?.."

Kafamı iki yana salladım. "Üzerinde taş kaydırmak isterdim."

"Babam o işi daha sonra yapacağımızı söyledi." Yürümeye devam etti.

Vazgeçmeye niyetim yoktu. "Neden şimdi değil?" diye sordum.

Bana baktı ve güldü. "Öyleyse şu köşeyi dönüp gözden kaybolalım."

Yaklaşık yarım mil yürüdükten sonra deniz seviyesinden biraz yüksekte bir yere geldik. Bu yükseltinin arkasında bir çeşit göl olduğunu, gölün bize uzak tarafındaki sazlıkların olduğu kısımda bir nehrin denize döküldüğünü gördük.

Gölün kenarındaysa taş kaydırmak için ideal, küçük ve bol taşlı bir kumsal vardı. Bir sevinç çığlığı atıp koşmaya başladım.

"Fazla gürültü yapma." Kate gülerken bir yandan da beni takip ediyordu. "Çöl kuyrukkakanını korkutacaksın."

Suyun kenarında durup ellerimi koyu renkli ve buz gibi suya daldırdım. Ellerim soğuktan acıyana kadar orada tuttum. Ellerimi çıkarınca avuç içlerimi Kate'in yanaklarına yapıştırdım. Şakadan bir kızgınlıkla çığlık atarak geriye doğru zıpladı.

Çömelip sahildeki taşları incelemeye koyuldu. Birkaç saniye sonra da bana gri renkli, yassı, pürüzsüz bir taş uzattı. "İşte hoplatıp zıplatacağın ilk taşın," dedi.

Kuvvetli bir şekilde fırlattım. Hiç sekmeden suya daldı.

Kate başka bir taş alıp alçaktan gidecek şekilde göle fırlattı. Taş üç kere sekti.

Bir süre, fazla konuşmadan taş kaydırdık. Her nedense, kocaman bir gökyüzüne ve ufuk çizgisine kadar varan dev bir su birikintisine sahip bu yere bir kez de Maddy ile gelmeye çalışmam gerektiğini düşünüyordum.

İşte her şey o sırada oldu. Kate'in taş kaydırmayı bıraktığının farkındaydım. Beni kolumdan yakaladı.

"Danny," dedi, "şuraya bak."

Küçük bir kayalık bölgeyi gösteriyordu. Kayalardan birinin üzerine meraklı bir şekilde bulunduğumuz yöne doğru bakan, tüyleri rüzgârdan kabarmış, kahverengi bir kuş tünemişti.

Karıştırıyor olamazdık. Buraya gelirken kuşlarla ilgili kitaplardaki resimlerini incelediğimiz, beyaz göğüslü, siyah boynu ve kuyruğu olan, kahverengi renkli küçük kuşa bakıyorduk.

"Çöl kuyrukkakanı," dedim ve bütün bu olanların saçmalığına sessizce güldüm.

Çömelip bir süre ona baktık. Kuşun hafif şaşkın bir ifadesi vardı; sanki nasıl olup da bu garip ülkeye iniş yaptığını tam olarak anlayamamış gibiydi.

Arada sırada sanki soru soruyormuş gibi bir tonda genizden şakıyordu: 'Yine ne istiyorsun?'

"Büyük ihtimalle anne babasıyla birlikte gezintiye çıkmıştı ve İsveç üzerinden geçerken etrafa göz atmak isteyince kayboldu."

"Onun için cidden endişelenmişlerdir herhalde," dedi Kate.

Güldük ve bize bakmakta olan kuşa bakmaya devam ettik.

Yaklaşık bir dakika sonra cep telefonumu çıkardım. "Sanırım askerleri arasak iyi olur," dedim.

O sırada Kate kuşa bakmaya devam ediyordu. Bana doğru döndüğünde yüzündeki ifadeyi daha önce hiç görmemiştim.

"Aramayalım," dedi.

"Ne?"

Endişeli bir şekilde etrafıma bakındım. Solumuzda kalan sahilde bir kadın ve iki adamdan oluşan üç kişilik bir grup yürümekteydi.

Kuş bir kez daha garip şekilde öttü.

"Binlerce millik bir mesafe uçmuş," dedi. "Dinlenmek istiyor, yaklaşık yüz kadar takipçi tarafından patlak gözlerle seyredilmek değil."

"Eğer biri bunu öğrenirse başımız cidden belaya girer."

Kate güldü. "Bir avuç takipçi ne yapacak ki? Üzerimize kuş tüyü mü atacaklar?"

Böylece ayağa kalktık ve sahil şeridinde birkaç metre ilerleyip taş kaydırmaya devam ettik. Arada sırada çöl kuyrukkakanının bulunduğu yöne bakıyorduk. O da şakıyarak karşılık veriyordu; Kate'e bakılırsa bu onu rahat bıraktığımız için bize teşekkür ettiği anlamına geliyordu.

Ardından son bir defa 'Yine ne istiyorsun?' demiş gibi öttü ve aniden kanatlanıp denize doğru uçmaya başladı. Kısa bir süre için dalgaların az uzağındaki taşlık plaja konmuş olmalıydı ki yakınlarda gezinen üç takipçi donakalmıştı. Bir tanesi tam cep telefonunu çıkarmışken hep birlikte elleriyle denizi işaret etmeye başladılar. Kuş uçup gitmişti.

Hiçbir şey olmamış gibi onlara doğru yürüdük. Yanlarına vardığımızda, takipçilerin plajın dört bir yanından bize doğru yaklaştıkları görülüyordu.

Beş dakika içerisinde bütün ordu toplanmıştı; içlerinden birçoğu dürbünleriyle ufku tarıyordu. Bir iki tanesi ise çöl kuyrukkakanının son görüldüğü yerin fotoğrafını çekiyordu. Bunların yanında ortaya bir de televizyon kamerası çıkmış, küçük grubumuzu filme alıyordu.

Graham ve Mary en son gelenler arasındaydılar. "Ona çok yakındınız çocuklar," dedi Mary.

"Yakın olduğumuz kadar da uzaktık," diye mırıldandım.

Adamlardan bir tanesi bizi ilk kez görüyor gibiydi. "Bu iki çocuk sazlıkların orada bir şeye bakıyorlardı," dedi. "Gölün kenarında kahverengi küçük bir kuş görmediniz, değil mi?"

"Onlar taş atıyorlardı." Gri saçlı bir kadın suçlayan gözlerle bize bakıyordu.

Ve bir anda, muhtemelen suçluluk duygusu kokan bir sessizliğe büründüğümüzden dolayı, herkesin ilgi odağı olmuştuk.

Mary sanki ben aniden görünmez olmuşum gibi bakışlarını içimden geçirerek, "Kate?" diye seslendi.

Birisi çocukların takip gezilerine getirilmemeleri gerektiğini homurdandı.

Sakallı, uzun bir adam, yeni anne babama, "Bunlar sizin çocuklarınız mı?" diye sordu.

Graham, "Bir tanesi bizim," diye cevap verdi. "Kate, çöl kuyrukkakanına taş mı atıyordunuz?"

"Hayır."

Şimdi daha rahat nefes alabiliyordum.

Canlı bir şekilde, "Ama onu bir süre seyrettik," dedi.

İnledim.

"Gözlenmekten ve fotoğraf çekilmekten yorulduğunu, dinlenmeye ihtiyacı olduğunu düşündük, öyle değil mi Danny?"

Perişan bir şekilde başımı salladım.

Takipçilerden kızgınlık ve şaşkınlık sesleri yükselmişti.

Bir adam, "Ona kesinlikle taş atıyorlardı," dedi.

Arkasında duran kadın bir yılan gibi tıslayarak, "Sorumsuzluk diye buna denir," dedi.

Başka bir kadın, "Ben anne ve babasını suçluyorum," diyordu.

Boynunda devasa fotoğraf makinesi asılı olan bir adam, "Ben ta Scarborough'tan geldim," diye inledi.

Orta yaşlı kızgın kuş takipçilerinin oluşturduğu fısıldayan, homurdanan, bakış fırlatan yarım daire bize doğru yaklaşıyordu. O birkaç saniye içerisinde çöl kuyrukkakanının neler hissetmiş olabileceğini anlamıştık.

Mary, "Senin espri anlayışın bu mu Kate?" diye sordu.

Alçak bir sesle, "Ben de oradaydım," dedim. Graham beni buz gibi bir küçümsemeyle süzdü. "Kızımızla konuşuyorduk," dedi.

Kate omuzlarını silkti. "Şaka değildi," dedi.

"Arabaya." Başıyla kızgın bir şekilde otoparkı işaret etti. Gözlerini kısarak bana döndü, "Sen de," dedi.

Dönüş yolculuğu oldukça uzun süreceğe benziyordu.

Sessizdi de... Çöl kuyrukkakanı, Bay ve Bayan Harrison'ın başka bir yüzünü ortaya çıkarmıştı. Arabada biz bize kaldığımızda kıyamet kopmasını bekliyordum; ama onun yerine büyük bir soğukluk hâkimdi.

İki saatlik yolun büyük bir kısmında birbirleriyle o kadar alçak ve kırgın bir ses tonuyla konuştular ki arkada oturan bizler, sadece birkaç kelime –hayal kırıklığı, boşa çıkmak, kötü örnek– duyabildik.

Camdan dışarı bakmakta olan Kate de o an bana anne ve babası kadar uzaktı. Tuhaf bir şekilde kendimi suçlu hissetmeye, bütün bu olanlara benim sebep olduğumu düşünmeye başladım.

Yeniden Londra'ya girdiğimizde öne doğru eğildim ve masum bir soru sormayı denedim. "Neye benzediğini bile bilmek istemiyor musunuz?"

Anne ve babam beni duymazlıktan geldiler.

"Ufak, şirin bir kuştu," dedi Kate. "Belki de not defterinize işaret koyabilirsiniz. Ne de olsa ailenin iki üyesi onu gördü. Tabi ki bu sayılır, öyle değil mi?"

Annesi, "Ailenin bir üyesi," dedi.

Bu kadarı yeterliydi. Her nedense, yaşadığım kuş gözlemleme tecrübesi bana babamın bitmemiş şarkılarından birini hatırlatmıştı. Kendi kendime alçak sesle söylemeye koyuldum:

> *"Hiç kara bir kuşa neden gece şakıdığını sordun mu?*
> *Bir çiçeğe neden her şeyin yolunda olduğunu?*
> *Evrende yaşam hareket halinde,*
> *Kendi gizli ritminde dans etmekte."*

"Teşekkürler," diye seslendi Graham.

Nakarat kısmına geçtim.

> *"Özgürüm ben, özgürüm*
> *Ağaçtaki kuş gibiyim,*
> *Denizdeki dalga gibiyim,*
> *Anahtarı üstünde duran bir kapı gibiyim.*
> *Çünkü ben benim."*

Mary ıstıraplı bir şekilde iç çekti.

"Bunu babam yazdı," dedim.

Graham soğuk bir şekilde güldü.

"Bu neden beni hiç şaşırtmadı acaba?"

"Hiç koltukta oturan benim gibi birini gördün mü?" İkinci kıtayı söylemeye başlamıştım. *"Hiç benim gibi birinin işe yaramaz bir dalgacı olduğunu düşündün mü? Gitarını tıngırdatıp şarkılar söylüyor…"*

Graham ani bir hareket ile öne doğru uzandı ve radyonun sesini sonuna kadar açtı. Bir klasik müzik dalgası arabanın içini doldurmuş, babamın şarkısını boğmuştu.

Pes ettim ve yolculuğun geri kalanında çıt çıkarmadım.

Harrison Şatosu'na vardığımızda ben ve Kate odalarımıza sığınmak için fırladık. Ama ben başaramadım.

Graham giriş kapısını açarken, "Seninle konuşmamız gerekiyor genç adam," dedi. Mutfağa gittik. Yeni annem kendini bahçede bir şeylerle meşgul ederken Graham, bana beş dakikalık bir nutuk çekti. Zengin bir aile olmadıklarını, bana yeni bir ev ve yeni bir hayat sunarken iyi bir şey yaptıklarını düşündüklerini söyledi. Ama iki tarafın da çabalaması gerekiyordu.

Uzadıkça uzuyordu. Bu hepimizin bir zamanlar bir yerlerde –genelde okulda– duyduğu türden bir nutuktu. Bir yerinde sadece Harrison ailesine değil, kendime de kötülük yaptığımı söylediğine eminim. Bir süre sonra, kızgın bir yetişkinin basmakalıp sözlerinden oluşan fırtına dindiğinde, Graham bana söylemek istediğim bir şey olup olmadığını sordu.

"O sadece bir kuştu," dedim.

"Onun sadece bir kuş olmadığını sen de çok iyi biliyorsun. Hayatımız boyunca bir daha hiç göremeyeceğiz. Sayende."

"Yalnızca özgür olmasını istemiştik, hepsi bu."

"Özgür… Özgürlük hakkında konuşmak harika, ama özgürlük sorumluluk gerektirir, biliyor muydun?"

"Bir çöl kuyrukkakanı için mi?"

"O aptal kuştan bahsetmiyordum!" diyerek masaya vurdu. "Sen ve senin davranışlarından bahsediyorum. Biz buna uygar dünyada 'bencillik' diyoruz."

"Uygar dünya mı? Nasıl yani?"

"Kate daha önce hiç böyle bir şey yapmamıştı. Üzülerek söylüyorum ki sen... savunmasız bir kıza çok talihsiz bir örnek oldun."

Bu hüküm karşısında donakalmış görünüyor olmalıydım ki Graham acele ile konuşmaya devam etti:

"Kate her zaman iyi bir kız olmuştur, sorumluluk sahibidir; ama senin türünden biriyle daha önce karşılaşmamış olmalı."

Benim türümün nasıl bir tür olduğunu sormaya fırsat kalmadan kapıya varmıştı bile. "Bundan sonra kızımı yoldan çıkarmamayı kabul etmeni istiyorum," dedi. "Aksi halde içinde bulunduğumuz durumu gözden geçirmek zorunda kalacağız."

Alçak sesle, "O yanlış bir şey yapmadı," dedim. "Ben de onu yoldan çıkarmadım. Sadece artık kendi kararlarını kendi vermeye başladı, o kadar."

Ona, takipçilere haber vermemeye karar veren kişinin ben değil, Kate olduğunu söyleyecektim, ama Kate'in başını belaya sokmanın ne anlamı vardı? Söylesem de inanmayacaktı zaten.

"On sekiz yaşına geldiğinde Kate, kendi kararlarını kendi verecek. O zamana kadar bizim sorumluluğumuz altında. Çocuklar istedikleri her şeyi yapmaya başlarlarsa kargaşa çıkar."

Bezgin bir şekilde başımı hayır anlamında iki yana salladım.

"Biz bu evde buna inanıyoruz." Ben kapıya doğru yürürken arkamdan konuşuyordu. "Belki de özür dilemek yerinde bir hareket olur."

"Sanmıyorum," dedim ve odadan çıktım.

O gece herkesin erkenden yatmaya gitmesinden hiç de şikâyetçi değildim. İşleri oluruna bırakmak, yoluna devam etmek gibi fikirlerin, yeni anne ve babamın kabul edebileceği türden fikirler olmadığı belli oluyordu. O akşam Harrison'ların evinde ne kadar konuşma geçtiyse, hepsi de buz gibi soğuk bir kibarlıkla yapılmıştı.

Gece saat 11'e doğru, Bay ve Bayan Harrison yatmaya gittikten sonra, kıyafetlerimi giydim ve çantamı hazırladım.

Odamdan çıktığımda hiçbir ses duymamıştım; ben de tehlikeyi göze alarak Kate'in odasına girdim, yatağının yan tarafına oturdum ve omzunu dürttüm. Gözlerini açtı.

"Eve gidiyorum," diye fısıldadım.

Yatağında doğruldu. "Şimdi mi?"

"Bizim ev yönüne giden bir gece otobüsüne binerim. Bu iş yürümeyecek."

"Yürüyecek." Sesi yalvarır gibiydi. "Benim annem ve babam endişeli insanlardır. Genelde iyidirler. Sadece bugün kötü bir gündü. Neden öyle davrandığımı bilmiyorum."

"Sorun sen değildin ki." Sesim öyle kızgın çıkıyordu ki Kate elini dudaklarıma götürdü. "Sen yalnızca onların istediği gibi biri olmak yerine kendin olmaya karar verdin," dedim.

"Çöl kuyrukkakanı konusunda haklıydık, öyle değil mi?"

"Tabi ki haklıydık."

Kate'in başucundaki komodinin üzerinde bir günlük durduğunu fark edince elime aldım.

"Yapma," dedi, "o benim özel eşyam."

Umursamadan defterin boş bir sayfasını açtım; sehpanın üzerinde duran kurşunkalemi alıp sayfaya cep telefonu numaramı yazdım. "Fırsatın olduğu zaman ararsın," dedim ve günlüğü kapattım.

"Teşekkürler Danny." Güldü. "Arayacağım."

Ayağa kalktım. "Otobüsümü kaçırmasam iyi olur."

"Dur," dedi. "Bir şey daha var."

Saatime baktım. Bu hızla gidersem parktaki banklardan birinde uyumak zorunda kalacaktım.

"Plajdaki takipçiler konusunda beni endişelendiren bir şey var."

Gülümsedim. "O konuda beni rahatsız eden birçok şey var."

"O televizyon kamerası. Orada ne işi vardı?"

"Çöl kuyrukkakanına hak ettiği şöhreti kazandırmaya gelmiş olmasınlar?"

"Sanmıyorum," dedi Kate. "Kamerayı taşıyan adamı daha önce görmüştüm. Senin geldiğin gün evin önünde babamla konuşan adam olduğuna neredeyse eminim."

"Belki de bir tür takipçiler konferansıdır?" Bunu söylerken ağzımdan çıkan kelimelerin oldukça saçma olduklarını biliyordum. "Soruştur bakalım." Kate'e bakıp gülümsedim. "Benim adıma dedektiflik yap."

"Seni bir daha görecek miyim?"

"Tabi ki göreceksin." Kapıya doğru yürüdüm. "Bana bir söz ver. Çok aptalca gelebilir ama... sadece içinden geldiği gibi davran, tamam mı?"

"Söz veriyorum."

Ve oradan ayrıldım.

17. RÖPORTAJ: Graham ve Mary Harrison

MARY: Bütün bu tecrübe konusunda çok olumlu şeyler hissediyoruz. Ne kadar şanslı olduğumuzu anlamamızı sağladı. Öyle değil mi hayatım?

GRAHAM: Hem de nasıl. Eskiden diğer ebeveynler çocukları ve problemleri hakkında konuşmaya başladıklarında, üzerlerinde ne tür baskılar olduğunu anlamazdık. Danny bize iyi bir anne ve babaya sahip olmayan çocukların sık sık yoldan çıkabileceklerini hatırlattı.

MARY: Zavallı ufaklığın çok fazla zarar görmemiş olması bizi çok sevindirdi.

RÖPORTAJCI: Danny mi?

MARY: Hayır, çöl kuyrukkakanı. Düşünsenize, çocuğun teki ona taş fırlatmaya başladığında nasıl da sersemlemiştir.

RÖPORTAJCI: Onun kuşa taş atıp atmadığına emin...

GRAHAM: Bu çocuklar kuşlarla başlarlar. Sonra sıra kedilere ve köpeklere gelir. On altı yaşına geldiklerinde kim bilir nelerin üzerine bir şeyler fırlatıyor olacaklar.

RÖPORTAJCI: Sabah uyanıp onun gittiğini anladığınızda sevindiniz mi yani?

GRAHAM: *Tabi ki hayır. Endişelendik. Ama Rafiq'ten, ait olduğu yere döndüğü haberini aldığımızda bir ferahlama hissetmedik dersem yalan olur. İlginç bir deneyim oldu, ama en güzel kısmı sona ermesiydi.*

RÖPORTAJCI: *Peki ya Kate?*

GRAHAM: *Değişti, değil mi hayatım?*

MARY: *Evet. Onu bir süre kaybettik. Tam ergenlik çağına girmiş bir kız gibi davranmaya başladı.*

GRAHAM: *Harrison Şatosu'nda bir kapının çarpıldığını duyacağımı hiç düşünmemiştim.*

RÖPORTAJCI: *Belki de Danny'nin yaptığı iyi bir şeydi.*

MARY: *Sorular sormak? Anneye babaya cevap vermek? Bunun nesi iyi?*

UYUYAN YILAN

Sanki buradan hiç ayrılmamış gibiydim. Gece yarısını az geçe içeri sızdığımda babamı, kucağında gitarıyla televizyon karşısında sızmış bir şekilde buldum. Robbie yatmıştı. Kirsty dışarıdaydı. Buzdolabı tamtakırdı.

Babam varlığımı hissetmiş olmalıydı ki mutfaktan çıkarken gözlerini araladı.

"Hey," dedi "oğlum!"

"Evet, benim. Geçtiğimiz hafta nasıldı?"

"Ah, nasıl olsun ki, bıraktığın gibi." Gitarıyla birkaç akor tıngırdattı.

"Annem aradı mı?"

"Evet. Seni sordu. Ara tatilini okuldan o sıska kızla geçirdiğini söyledim."

"O ne dedi?"

"İyi. Harika. Kanatlarını açıyor olmanın iyi bir şey olduğunu söyledi." Yerden bir bira kutusu aldı, çalkaladı, sonra da yerine koyup başka bir tanesini denedi. Üçüncü kutunun dibinde azıcık bira bulunca bir yudum aldı. "Annen bu aralar kanat açma konusuna takmış durumda. Neden bilmiyorum."

Sorulmamış soruya cevap olarak, "Ben iyiyim," dedim. "Çöl kuyrukkakanı denen bir kuş gördüm. Oldukça nadir bir kuş."

Babam, "Harika!" dedikten sonra ayağa kalkıp gerindi. Esniyordu. "Seni tekrar burada görmek güzel evlat. Ben kafayı vurup yatıyorum. Çok yorgunum."

Güldüm, "Ben de," dedim.

Haklıydı. Her şey bıraktığım gibiydi.

Ve bir süre için, bu bana o kadar da kötü bir şey değilmiş gibi geldi. Ertesi sabah Bell ailesine, ılık su dolu bir küvete dalar gibi daldım. Erken kalktım, Rafiq benim dosyamı ele almadan önce cep telefonumu telesekretere yönlendirdim.

Babam futbol maçı seyrederken ben de Robbie ile kâğıt oynadım. Kirsty öğlene doğru odasından çıktığında kısa süreliğine benim onun düşmanı olduğumu unutmuş gibiydi, çünkü benimle modern zamanların en etkileyici Romeo'larından biri olduğu ortaya çıkan raf istifleyici Gary hakkında sohbet etti.

Arada sırada telefonumdan zavallı bir sinyal sesi geliyordu. Kaçış haberim AileniSeç'e ulaşmış olmalıydı.

O öğlen telefonuma dört adet yazılı mesaj geldi:

Nerdesn?

Beni HEMEN ara

Dan konşmamz lzm

Acilen ara

Hepsini sildim. En sonunda Rafiq telesekretere mesaj bıraktı:

"Hey Danny, senin için endişeleniyoruz. Sadece bize iyi olduğunu bildir, yeter, tamam mı? Harrison'lar, olanlar yüzünden çok üzgünler. Seninle gelecek hakkında konuşmak istiyorum. Senin için hâlâ planlarımız var. Şu eski deyişi unutma: 'İşler zorlaştığında, zoru sevenler kazanır.' Sana olan inancım tam Danny. Beni istediğin zaman cep telefonumdan arayabilirsin, gündüz ya da gece fark etmez."

Bir süre, odamda bulunmanın verdiği güvenlik duygusu içinde, onu şimdilik susturacak cevabı düşündüm.

Hrşy ylnd, yknd grşrz

Onu yarın arayacak, aile değiştirme günlerimin sona erdiğini söyleyecektim. Gloria Konutları No: 33'teki hayatın kendine has dertleri olabilirdi; ama bunları kendi yöntemlerimle halledecektim.

Sanki düşüncelerimi okuyabiliyormuş gibi, Rafiq öğleden sonra bir yazılı mesaj daha yolladı.

Snn içn spr bir aile bldm. Eğlncli, zngn, mthş!

Tabi. Özelliklerini AileniSeç ofisinde Tracy ile beraber incelediğimiz anne babaları düşündüm. Bazıları gerçekten de zengin görünüyorlardı, ama hiçbiri için *eğlenceli*, hele hele *müthiş* diyemezdiniz. İş işten geçtikten sonra bana süper bir aile bulmak nedense Rafiq için misyon halini almıştı.

O gün öğleden sonra Kirsty'nin Gary'si de bize dahil oldu; kafası kazınmış, ensesinde –kemanlar çalmaya başlasın– bir kalp içindeki "K" harfi şeklinde dövme bulunan biri olduğu ortaya çıkmıştı. Gary pek konuşkan sayılmazdı, ama kısa zamanda bize uyum sağladı. Başka herhangi bir normal, gerçek ve azıcık sıkıcı ailenin yapacağı gibi biz de oturup televizyonda film izledik.

Son birkaç günde yaşadıklarım kafamda dönüp durduğu için filme yoğunlaşamıyor, ekrana boş boş bakıyordum. Olanları bir mantık çerçevesine oturtmaya çalıştığım halde tam tersi oluyor, başımdan geçen AileniSeç deneyimi, düşündükçe, daha garip gelmeye başlıyordu.

Boş gözlerle ekrana bakarken kendime yepyeni bir liste yaptım:

AİLENİSEÇ HAKKINDA BARİZ ŞEKİLDE ŞÜPHELİ OLAN DOKUZ ŞEY

1. Kate sahildeki kameramanı evlerinde de gördüğünü söylemişti. Ne tesadüf! Peki Harrison'lar onu, takipçilerin arasında gördükleri halde, onunla neden hiç konuşmadılar?

2. Düşünüyorum da ben görüşme yaparken Rossini'nin Yeri'nde de bir kamera ekibi vardı.

3. Tesadüfen mutlu bir AileniSeç annesi tarafından işletilen bir kafe? Ne demezsin!

4. Harrison'lar ile gittiğimiz giyim mağazası. Her şeyiyle, baştan aşağı tuhaftı.

5. Eğer bütün bunlar devlet tarafından destekleniyordu ise, neden her şey bu kadar gizliydi?

6. AileniSeç'ten gelen o ilk mektubu neden okulda benden başka kimse almadı?

7. Rafiq'e babamdan izin almam gerektiğini söylediğimde, pazarlamayla ilgili bir şeyler söyledi. Neredeyse bir tür iş anlaşmasından bahsediyor gibiydi.

8. Rafiq sürekli bana şirketini kullanmak isteyen çocukların çokluğundan bahsediyor, ama ne zaman çekilmek istediğimi söylesem beni bırakmamak için çırpınıyordu. Neden?

9. Doğruyu söylemek gerekirse, AileniSeç'e katıldığım günden itibaren tüm yetişkinlerin davranışlarını düşündükçe daha fazla şüpheleniyorum.

Doğal olarak bu noktada yapılması gereken mantıklı ve olgun davranış AileniSeç'i geride bırakmak, bir şeyler ciddi şekilde ters gitmeden ayrılmak olmalıydı. Ama bir tarafım, belki de her zamanki Jay Daniel ruhu, herhangi bir sebepten dolayı aptal yerine konulmuş olmaktan hiç de mutlu değildi.

Eskiden olsaydı bu olayın peşini bırakır, "Uyuyan yılanın kuyruğuna basma." derdim kendime. Ama bugünlerde biraz farklıydım. Film sona ermek üzereyken hiçbir şey yokmuş gibi kalkıp odama gittim ve Rick'i aradım. Telefonu, sanki aramamı bekliyormuş gibi açtı:

"N'aber Dan?"

"Buluşabilir miyiz? Bir şeyi detaylı olarak konuşmamız lazım."

"Bilardo salonundayım."

"Geliyorum."

Uyuyan yılanın kuyruğu üzerinde zıplama vakti gelmişti.

18. RÖPORTAJ: Kirsty Bell

KIRSTY: *Geri dönmüştü, ama aslında dönmemiş gibiydi. İçimden kafasına vurup, evde kimse yok mu, demek geliyordu.*

RÖPORTAJCI: *Onun herhangi bir şekilde değiştiğini düşündün mü?*

KIRSTY: *Bak, bizim ailede herkes kendi işinde gücündedir. O zamanlar ben Gary ile çıkmaya başlamıştım. Babam kafayı annemin dönüp dönmeyeceği konusuna takmıştı. Robbie büyük ihtimalle bilgisayar oyununda bir kademe daha atlamaya çalışıyordu. Eğer küçük Danny'nin ailesiyle ilgili bir problemi var idiyse, bunu çözecek olan tek kişi kendisiydi. Başa gelen çekilir, öyle değil mi?*

RÖPORTAJCI: *Baban onun geri gelmesine sevinmiş olmalı.*

KIRSTY: *Öyle mi? Bilmem ki. O zamanlar pek konuşuyor sayılmazdık.*

Bilardo salonu gündüz saatlerinde çocukların ve büyüklerin takıldığı, barı ve küçük bir bilardo masası olan yarı aydınlık, tuhaf bir mekândı. Mekânı kimin işlettiğini hiçbir zaman keşfedememiştim; ama kim işletiyorsa bu işten fazla para kazanmadığı belliydi.

Plastik sandalyelerde oturan müşterilerin çoğu içki içmiyordu; masanın başındaysa yalnızca bilardo toplarını deliklere yollamaya çalışan birkaç çocuk dolanıyordu.

Dışarıda güneşli bir hava olmasına rağmen içeride serin, neredeyse nemli denilebilecek bir hava vardı. Gözlerim loşluğa alışırken durup etrafa bakındım.

Önce Rick beni gördü. Barda duran bir grubun hemen yanında oturmuştu. Annesi, yanındaki plastik sandalyeye oturmuş, dirseğini sandalyenin kolluğuna dayamıştı. Sağ elinde bira bardağı tutarken bir yandan da etrafında geçen konuşmaları dinliyordu. Bir süredir o noktadan ayrılmamış, yakın gelecekte de ayrılmayı düşünmeyen biri gibi görünüyordu.

Rick ve ben, salonun geri kalanından daha karanlık bir köşede birkaç boş sandalye bulduk.

"Geri döndüm," dedim.

"Kendine yeni bir anne ve baba seçmek nasıldı?" diye sordu.

Ona Harrison'ların sürdürdükleri mükemmel, düzenli, uygar ve deli saçması hayattan bahsettim. Kate'i ve onu orada bırakmanın bana kendimi nasıl kötü hissettirdiğini anlattım.

"Denediğine değmiş," dedi.

"Haklısın. Sorun şu ki..." durakladım, "henüz onlarla işimin bitip bitmediğinden emin değilim."

Rick küçük bir kahkaha attı. "Bırak gitsin oğlum. Sütten ağzı yanan... Kabul et artık, ne yaparsan yap orada mükemmel aileyi bulamayacaksın."

"Bir şey daha var Rick." Sanki o karanlık salonda birileri benim gizli hayatım hakkında her şeyi duymak istiyormuş gibi sesimi alçalttım. "Galiba bir şekilde oyuna getirildim."

"Oyuna mı getirildin?"

"Bana söylemedikleri bir sürü şey var."

"Yani White City'deki Gloria Konutları'ndan Danny Bell'i yeni anne ve baba bulması için kandırmaya yönelik dev bir komplo mu var? Kendine gel oğlum."

"Öyleyse bunu nasıl açıklıyorsun?" Listeme yazdığım bazı delilleri sıraladım.

Komplo teorilerine pek sıcak bakmayan Rick bile şaşırmış görünüyordu.

"Her şeyin önceden planlanmış olduğu fikrini kafamdan atamıyorum," dedim. "Hep benden bir adım öndeymiş gibiler."

"AileniSeç'in son derece arkadaş canlısı bir organizasyon olduğunu sanıyordum."

"Üzerimdeki stres yüzünden keçileri kaçırdığımı düşünüyorsun, öyle değil mi?"

Rick tek kelime bile etmeden ayağa kalktı, annesinin oturduğu yere yürüdü, elini kadının çantasına sokup cep telefonunu aldı. Annesi hâlâ etrafındakilerle konuşuyordu.

"Sen bana bu gizemli şirketin telefonunu verdiğinde arayıp kontrol etmeye karar verdim. Hafta içerisinde üç defa aradım. Kimse açmadı. Tuhaf bir şeyler olduğunu o zaman anladım."

"Sağ ol be. Niye beni uyarmadın?"

"Senin, başının çaresine bakabileceğini biliyordum. Zaten biri sana bir şeyi yapmamanı söylediği zaman, o şeyi yapma isteğin daha da artıyor."

Kabul etmeliyim ki bu doğruydu.

"Şimdi dostun Rafiq'i aramaya çalışacağız; ama başka bir numaradan." Telefonu bana uzattı. "Numarayı çevir," dedi.

Telefonumdan Rafiq'in numarasına bakarak tuşlara bastım, telefonu tekrar Rick'e uzattım.

Telefonu endişeli bir şekilde –sanki telefon yanağını ısıracakmış gibi– kulağına götürdü. Bir iki saniye sonra ise rahatladı.

"Ne diyor?" diye sordum.

"Ben Rafiq, ne yapacağınızı biliyorsunuz," dedi Rick. "Sonra da eğer yapımlar hakkında soracak bir şeyin olduğu takdirde ofisini araman gerektiğini söyleyip bir numara verdi ve kendin olmakla ilgili bir şeylerden bahsetti."

"Bu da ne demek oluyor? Ayrıca nasıl oluyor da ben her aradığımda kendisine ulaşabiliyorum?"

Bir an için ikimiz de sustuk. Ardından Rick, "Şu AileniSeç mekânı," dedi, "belki de gidip bir baksak iyi olacak."

On beş dakika içerisinde oradaydık. Yalnızca birkaç hafta önce ziyaret ettiğim ofisin kapısının yanında duran AileniSeç tabelasının yerinde yeller esiyordu. Onun yerine çok daha şık bir levha vardı. Üzerinde "KendinOl TV Yapımcılık Ltd " yazıyordu.

O gece babam tek başına televizyon karşısında otururken gidip yanına oturdum, uzaktan kumandayı aldım ve sesi kapattım.

Babam ekranda olup bitenle pek de ilgili sayılmazdı; o yüzden bana döndüğünde yüzünde kızgınlıktan çok şaşkınlık ifadesi vardı. "Danny," dedi, "ne yapıyorsun evlat?"

"Biraz sonra sesi açacağım," dedim. O an normalde olmadığım kadar ciddi görünmüş olacağım ki babamın gözleri telaş içerisinde açıldı.

"Sakın bana duygu sömürüsü yapayım deme Danno," dedi. "Hiç havamda değilim."

"Sana söylemem gereken bir şey var," dedim, "seninle alakalı."

"Pekâlâ." Baba olmak ne kadar zor, dermişçesine bir iç çekti. "Söyle bakalım."

"Yakın zamanda hayatıma başka anne babalar da girdi."

ÜÇ YA DA ÇEKİLİRİZ

Hayatımda ilk kez iplerin elimde olduğunu hissediyordum. Anne babanızı değiştirince böyle oluyor. Ailelere bir kez girip çıkmaya başladıktan sonra farklı bir tür özgürlüğe sahip oluyorsunuz.

Ayrıca bazı şeyleri biliyor olmanın verdiği güce de sahiptim. Neler olup bittiğinin farkındaydım. Maddy'lerin evinde internete girmiş, KendinOl TV Prodüksiyon Şirketi'nin web sitesini bulmuştum. Görünüşe göre "cesur ve sınırları zorlayan gizli kamera belgeselleri ve şovları" üzerine uzmanlaşmışlardı. Her ne kadar AileniSeç'in bahsi geçmese de program yapımcılarının isimleri arasında Rafiq Asmal da bulunuyordu.

Rafiq ile AileniSeç'teki çalışma arkadaşlarının, yaşadığım hayatın hangi özellikleri yüzünden beni seçtiklerini düşünüp duruyordum; ama bir süre sonra bu konuda endişelenmeyi bıraktım.

Bilgi: Bir yerlerde birileri, oyunlarında küçük Danny Bell'i piyon olarak kullanmaya karar vermişti. Ancak bazen bir piyonun şah olabileceğini hesaba katmamışlardı.

Babama tüm bu başımdan geçenleri ve bundan sonra ne yapacağımı anlattıktan sonra Maddy'ye de her şeyi söyledim.

Yaz tatili gelene kadar birkaç hafta bekleyecektim. Sonra da AileniSeç oyununu bir kez daha oynayacaktım. Ama bu sefer Jay Daniel Bellingham'ın çılgın maceralarından birinin ardına saklanmayacaktım; bu seferki, her zaman öncelikli hedefim olan mükemmel bir aile arayışı olmayacaktı.

Bu seferki tamamen farklı bir şeydi:

İntikam!

19. RÖPORTAJ: *Rafiq Asmal*

RAFIQ: *Bizim gerçek kimliğimizi anladığı aklımızın ucundan bile geçmemişti. Artık bunu kabul edebilirim. Planımız akıllı ve normal bir çocuğu yeni bir yuvaya koyup izlemek, bu durumun onu nasıl değiştirdiğini görmekti. Tabi ki çocuğun bu durumdan haberi olmaması gerekiyordu; aksi takdirde yaptığımız şey anlamsız olurdu. Bu televizyonculukta çığır açacak bir olaydı: Televizyon tarihinde ilk defa kameralar bir deneyi takip edecek; aileler, içinde bulunulan yuva ve yaşanılan hayat tarzının çocukluk dönemindeki karakter ve davranışları etkileyip etkilemediğini gösterecekti. Heyecan verici şeyler.*

RÖPORTAJCI: *Neden Danny'yi seçtiniz?*

RAFIQ: Hatırlamıyorum. Araştırmacılarımız onu buldular. Rock yıldızı bir babası olması komik gelmişti. Ofise geldiğinde hepimiz onun bu iş için biçilmiş kaftan olduğunu düşündük.

RÖPORTAJCI: Ama sonra sizinle savaşmaya başladı.

RAFIQ: Değişmişti. Daha zorlu biri olmuştu. Harrison işi yattıktan sonra, bir dahaki sefere ne tür bir aile istediğini bile söyledi. İlginç, diye düşündük. Bu çok iyi iş yapabilirdi.

RÖPORTAJCI: Ve haklı çıktınız.

RAFIQ: Sayılır.

Pazar günü saat sabahın dokuzuydu. Uxbridge Sokağı'nın hırpani, akşamdan kalma bir görüntüsü vardı. Çantam sırtımda, kaldırımda dikilmiş, yakınlardaki bir kebapçıdan sızan bayat yağ kokusuna aldırmamaya çalışıyordum. Geleceğimi beklemekteydim.

Geleceğim geç kalmıştı. Bir arabadan çok ölümcül bir silaha benzeyen, koyu camlı ve alçak yapılı siyah bir Porsche, şehir merkezi yönünden gelip de yanımdaki kaldırıma kolayca yanaşıverdiğinde saat neredeyse dokuzu çeyrek geçiyordu. Plakasını fark edince gülümsedim. 1 KIK BUT.*

---

* İngilizcede, 'kıçını tekmelerim' anlamına gelen 'I kick butt'ın kısaltılmışı. [Ç.N.]

Yolcu koltuğu tarafındaki cam indi ve ince yapılı, genç bir zenci göründü. Bir yandan cep telefonuyla konuşuyor, bir yandan da önüne bakıyordu.

"Tamam, sen öyle yap bebek," diyordu. "Ve belli olmaz, belki de bu işi halledebiliriz. Ama söz vermiyorum, tamam mı? Çav bebek."

Telefonunu iki kapağını birbirine çarptırarak kapattı, bana döndü:

"Danny Bell?" Yumuşak bir sesi, jilet gibi düzgün bir aksanı vardı.

"Benim."

"Ben Simon Brayfield. Flavia de Sanchez ile çalışıyorum."

Bu isim bir yerlerden tanıdık geliyordu. "Sen oyuncu musun?"

"Hayır, oyuncu olan Flavia; ben onun menajeriyim. Yıldızların menajerlere ihtiyacı vardır, öyle değil mi? Haydi gidelim Danny."

Arabaya bindim ve yumuşak deri koltuğa gömüldüm.

Adam elini uzattı, "Merhaba," dedi. Sanki okşar gibi el sıkışıyordu. "Tanıştığımıza memnun oldum."

Hareket ettik.

Brayfield direksiyondaki bir şeyleri ayarladı ve arabada eski ve içli bir müzik çalmaya başladı. Biz Batı Londra sokaklarında süzülürken, sanki dışarıdaki dünyanın gürültüsü, karmaşası, kokusu bambaşka bir evrene aitmiş gibiydi.

"Nereye gidiyoruz?" diye sordum.

"Şehir hayatından iyice uzaklaşacağız. Oxfordshire'ın kalbine gidiyoruz. Daha önce hiç gitmiş miydin?"

Cevap vermeme fırsat kalmadan, Brayfield'ın telefonu mutlu bir kedi gibi mırlamaya başladı. Telefonu açtı, ekrana baktı ve telefonu bana uzattı. "Bunu sen hallediver Danny, olur mu? Onlara araba kullanmakta olduğumu söyle."

Heyecanla telefonu kulağıma götürdüm. "Bana bunu yapma Simon." Telefondaki ses bir kadına aitti. Keskin, Amerikalı ve aynı zamanda kızgın bir sesti bu. "Az önce söylediğini duydum. Konuşmamız lazım."

Hafifçe öksürüp boğazımı temizledim. "Korkarım Simon şu anda araba kullanıyor."

Kadın alçak sesle küfretti. "Ona kenara çekmesini söyle. Film anlaşmamız için Hollywood'dan arıyorum."

Brayfield'a baktım; cıyaklayan kadının söylediklerini duymuştu. Kafasını yavaşça iki yana salladı.

"Şu an biraz zor görünüyor," dedim. "Sizi sonra arayabilir mi?"

Kadının bir şeyler mırıldandığını, arkasında da bir adamın konuştuğunu duydum. "Simon'a iki buçuğa çıktığımızı söyle."

Söyledim.

Brayfield güldü ve yavaşça fısıldadı:

"Üç ya da çekiliriz."

Başıyla telefonu işaret etti.

"Şey diyor... Üç ya da çekiliriz."

Kadın bir daha küfretti ve telefonu kapattı.

Telefonu kapatıp ona geri uzatırken ilgisiz görünmeye çalışarak, "Üç ne?" diye sordum.

"Milyon... Dolar."

"Ah, doğru ya." Etkilendiğimi göstermemeye kararlı bir şekilde omuz silktim.

"Fena bir iş değil şu film yıldızlarının menajeri olmak." Direksiyona birkaç kez vurdu. "Parası iyi. Alışveriş esnasında pazarlık etmeye benziyor biraz; ama işin içindeki para miktarı azıcık daha fazla."

"Pek de mutlu görünmüyordu."

"Barbara mı?" Güldü. "Bunların hepsi oyunun bir parçası. Tekrar arayacaktır."

Sonraki iki dakika sessizlik içinde geçti. Cep telefonu tekrar çalmaya başladığında bir köprünün üzerindeydik ve Londra dışına giden bir otoyola yaklaşmaktaydık. Brayfield telefonu bana uzattı.

"Bana Simon'ı ver!" Kadının sesi şimdi daha yumuşaktı.

"Hâlâ araba kullanıyor."

"İki nokta yetmiş beşe çıkabiliriz."

Brayfield iç geçirdi ve üç parmağını havaya kaldırdı.

"Üç olmak zorunda," dedim.

Bir sessizlik oldu. "Ben tam olarak kiminle konuşuyorum?"

Barbara'ya eski savaşçı adımı vermeyi düşündüm –eğer Jay Daniel Bellingham'a yaraşan bir an varsa o da buydu– ama bir anlık duraklamadan sonra alçak bir sesle, "Daniel Bell," dedim.

"Sen bu tarz işler için biraz fazla genç değil misin?"

İçimden bir ses, on üç yaşında olduğumdan bahsetmememin daha iyi olacağını söylüyordu. "Yeterince büyüğüm," dedim.

Aniden, "Peki o zaman," diye gürledi. "İki nokta dokuz. Ve bizden bu kadar."

Brayfield'a dönüp, "İki nokta dokuz," dedim. Eliyle yavaşça ve zarif bir şekilde boğaz kesme hareketi yaptı.

"Sanırım kapatmak zorundayız," dedim.

"Üç! Üç!" Kelimeleri bağırarak söylemişti. "Anlaştık mı?"

Fakat Brayfield bu olaya karşı olan ilgisini yitirmişe benziyor, sağ elinin parmaklarıyla direksiyonda ritim tutuyordu.

"Daniel? Orada mısın?"

"Buradayım. Düşünüyoruz."

Brayfield'ın ilgisini çekmeye çalışıyordum; ama o son sözü bana bırakmaya kararlı görünüyordu.

Derin bir nefes aldım. "Sanırım... üç milyon dolar uygun."

Telefonun öbür ucundan rahatlama kahkahaları geliyordu. Kadın, "Çetin cevizlersiniz," dedi. "Fakat Dan, bu olayda iyi bir şey yaptın; önemli bir şey... Seni takdir ediyorum. Şahsen."

"Teşekkürler Barbara," dedim. "Güle güle."

Telefonu Brayfield'a verdim. "Görünüşe göre iyi bir şey yaptım," dedim. "Barbara beni takdir ediyor. Şahsen."

Brayfield kibarca kıkırdadı.

"Gösteri işinin harika dünyasına hoş geldin Daniel."

Bir Porsche içerisinde seyahat ediyordum. Az önce bir Hollywood yapımcısıyla ne olduğunu bilmediğim bir konuda üç milyon dolarlık anlaşma yapmıştım. Artık beni hiçbir şey şaşırtamazdı.

Ya da bana öyle geliyordu.

Dallanıp budaklanmış dev ağaçlarla dört bir yanımızı saran yaşlı bir koruya girdikten hemen sonra daha dar bir yola saptık ve kapalı halde duran yüksek demir kapılı bir girişin önünde durduk. Bir iki saniye sonra, birileri ya da bir şeyler –belki de kapının kendisi– arabayı tanıdı ve esintiyle sallanan yüksek ağaçların oluşturduğu uzun bir yola açıldı. Önümüzde bir tür bina olduğunu az çok görebiliyordum; ama evin boyutu ve güzelliği güneşe çıktığımızda belli olmuştu. Büyük ve görkemli –tarihi filmlerde görülen türden– olmasına rağmen huzurlu bir görünüşü de vardı. Her şeye rağmen gerçek bir eve benziyordu.

Brayfield, "Channon Konağı'na hoş geldin," diye mırıldandı.

Kuvvetli bir şekilde yutkundum. "Güzel yer."

"Kraliçe Elizabeth'in burada uyumuş olduğunu söyler-ler."

"Köpekleriyle beraber mi?"

"Şimdiki Kraliçe'den bahsetmiyorum; ilk Kraliçe Eliza-beth. Dört yüz yıldan fazla bir zaman önceydi."

Ön kapıya geldiğimizde, taştan yapılmış merdivenlerin ucunda bir kadın bizi beklemekteydi. Porsche'den inerken önceden hazırlamış olduğum gülüşümü hazırladım ve eli-mi uzattım. "Nasılsınız," dedim.

Kadın ilk başta şaşırdıktan sonra sırtımdan çantamı aldı. Yabancı bir aksanla, "Benim adım Tara," dedi. "Burada ça-lışıyorum." O kenara çekilirken Brayfield, yüzünde patron gülümsemesiyle ön kapıya doğru yöneldi.

"Seni aileyle tanıştıracağım," dedi. "Tara çantanı odana koyar."

KORKUNÇ BİR BABA

Bir an kendimi dört dörtlük bir İngiliz sahnesine ya da o hissi vermek için tasarlanmış bir film setine girmiş gibi hissettim.

Güneş, bakımı mükemmel yapılmış çimlere sahip bir bahçe üzerinde parlıyordu. Pencere kırlangıçları evin saçaklarında bulunan yuvalarına girip çıkmaktaydılar. İçerde biri keman ya da ona benzer bir şey çalıyordu. Sağ tarafta, yüzme havuzunun hemen kenarındaki tenis kortunda bir çocuk, eşofman giymiş bir tenis hocasından ders alıyordu. Sol tarafta ise arka plandaki koyu renkli, geniş bir nehrin yanında ve büyük bir ağacın gölgesi altında beyazlar giymiş güzel bir kadın vardı.

Bizi görünce elindeki dergiyi bıraktı, bize doğru döndü.

Brayfield onu her iki yanağından da öptü; kadın bana öyle bir sıcaklıkla gülümsedi ki ben, bahçesine ve hayatına adım atmadan önce hayatının bir boşluktan ibaret olduğunu ima ediyordu sanki. İşte o an kendisini tanıdım.

"Flavia de Sanchez." Hafif bir Amerikan aksanına sahip olan sesi de el sıkışması kadar kibar ve tatlıydı. "Sen Danny Bell olmalısın."

Öyle olduğumu söyledim.

"Yeni oğlum."

Hafifçe gülümsedi.

O yüzü hatırlıyordum. Flavia de Sanchez babamın en sevdiklerindendi; genelde Roger Moore'un oynadığı türden, kumsallarda ve şık, parlak tatil köylerinde sahneleri olan eski tarz filmlerde oynayan bir yıldızdı. Buzlar kraliçesine benziyor olsa da filmin sonlarına doğru aslında tam bir kadın olduğunu kanıtlayacak kadar erimiş olan soğuk sarışınlardan biriydi.

Ekranda olduğundan daha küçük görünüyordu. Yüzü de daha değişikti; daha güleç ve memnun etmek için çabalayan bir yüzdü bu. Yaşını tahmin etmek zordu.

Orada durmuş, aptalca ve yarı afallamış bir şekilde ona bakmakta olduğumu fark edince, "Affedersiniz. Bütün bu olanlar biraz fazla geldi de," dedim.

"Bu çok normal," dedi, bir kraliçe gibi gülümseyerek. "İkizleri bulayım. Sana etrafı göstersinler."

20. RÖPORTAJ: *Flavia de Sanchez, Zak ve Gemma Sheridan*

FLAVIA: *Bu küçük çocuğu Simon'ın Porsche'sinin yarattığı hava akımından çıkarken gördüğüm anda, onunla aramızın iyi olacağını anlamıştım. Hayal ettiğimden kısaydı, saçlarına ciddi bir müdahale gerekiyordu ve kıyafetlerinde* *sokaklarda sık sık gördüğümüz o korkunç sıkıcılık vardı. Bakıma ihtiyacı vardı, evet; ama bu suç değil. 'Ünlü' olmanın en harika yönlerinden biri de arada sırada insanın geriye bir şeyler verebilmesi. Ben de Danny'ye bir şeyler vermek istiyordum. Yıllardır programlarımı izleyerek beni bugünkü konumuma getiren tüm insanlara kocaman, kişisel bir teşekkür gibiydi bu.*

RÖPORTAJCI: *Sizlerin beklediği gibi biri miydi?*

ZAK: *Öyleydi diyebilirim. Her yönüyle sıradan bir çocuktu. Televizyon fikri bana hiçbir zaman cazip gelmemiştir; kimin ihtiyacı var ki, öyle değil mi? Şimdi de bu çocuğa anında ailenin bir parçası haline gelmiş gibi davranmak da yapılabilecek en sıkıcı şeylerden biriydi.*

GEMMA: *Güneşli odada beşinci sınıf çello ödevim için çalışırken vücut güzeli Simon Brayfield, yanında, ee, kardeşimle pencerenin önünden geçti. Onu korkmuş göreceğimi umuyordum; ama komiktir ki yüzünde küçük bir gülümseme vardı. Sanki bilmediği bir şeyler olan o değil de bizdik. Biraz saf bir çocuk olabileceğini düşündüm.*

Flavia de Sanchez'in dünyasına alışmak biraz zamanımı aldı. Günün sonunda, Channon Konağı'nın yüksek duvarları ve demir kapılarının ardında hiçbir şeyin tam olarak, göründüğü gibi olmadığını öğrenmiştim.

Gölet sandığım şey, ısıtmalı bir havuz çıkmıştı. Bahçenin sonundaki kulübe Zak ve Gemma adlı ikizler için son teknolojiye sahip bir bilgisayar odasıydı. Bir duvar dolusu kitap, aslında kitaplık değil, film seyretmek için yapılmış bir odaya açılan gizli bir kapıydı.

Ama bir yandan da tam bu sahteliğe alışmışken koridordaki bir resme –benim bile tanıyabileceğim kadar ünlü bir resim– dokunuyor, boyanın pürüzlü yüzeyini hissedip de tablonun orijinal olduğunu anlayınca şaşırıyordum.

İkizler bana etrafı gösterdiler; içinde yaşadıkları dünyanın sürekli beni şaşırtıyor olması hoşlarına gidiyordu. Zak ve Gemma benden bir yaş küçüktüler; ama daha şimdiden dünyanın onlara her zaman iyi davranacağını bilen insanların kendilerinde buldukları rahat ve neşeli güven duygusuna sahiptiler. Tanıdığım diğer insanlardan her yönleriyle –konuşmaları, şakaları, dünyanın ücra köşeleri hakkında bildikleri, ünlü arkadaşları, ciltleri, saçları, hatta yürüyüşleri– farklıydılar.

Sanki hayatta güzel olan her şey onların sahip olmaları için yaratılmış, anneleri kadar başarılı ve rahat olmaları an meselesiymiş gibiydi.

Konak adı verilen bu yerde, Gloria Konutları No:33'teki gibi kusursuz hale getirilmiş şekliyle tembellik yapmak mümkün değildi. Eğlence, insanın bütün zamanını alan bir işti. O gün Zak ve Gemma ile daha önce adını hiç duymadığım bilgisayar oyunları oynadım; havuzda sağa sola su sıçrattım —yatağımın üzerine konmuş kıyafetler arasında bir mayo da vardı— sinema odasında daha piyasaya çıkmamış bir film seyrettim. Sıra, akşam yemeği için hazırlanmaya geldiğinde eğlenceden yorgun düşmüştüm.

Odamda durdum; bir çift ak kuyruksallayanın bahçede caka satarak yürümesini seyrederken ve bir yandan da sessizliğin, sakinliğin, genişliğin tadını çıkartırken, gün boyunca sürekli aklıma gelmiş olan kelimeleri yüksek sesle tekrar ettim:

"Cennete hoş geldin."

Simon Brayfield öğleden sonra bulunduğum yöne doğru neşeli bir "çav Danny" salladıktan sonra gitmişti ve bu akşam birkaç komşunun da katılacağı bir aile yemeği olacaktı.

Burada akşam yemeğine çok önem veriliyordu. Başlamadan önce dinlenmemiz ve hazırlanmamız için bir saat kadar —yeni annemin deyişiyle 'yenilenme zamanı'— vaktimiz vardı.

Yatak odam: Hemen hemen eski evimizin mutfağı boyutlarında bir yatak; bahçeye bakan ve küçük, eski camlardan oluşan bir pencere; küveti, duşu ve tuvaleti ile bana ait bir banyo. Yatağımın üzerine iç çamaşırı ve çoraplar da dahil olmak üzere çeşitli kıyafetler bırakılmıştı. Çekmeceler ve dolaplar ağzına kadar kışlık ve yazlık kıyafetlerle doluydu. Banyoda sabunlanmak için bezler, sabun, diş macunu, hatta ve hatta bir tıraş seti(?) bile vardı. Benim hayatımdan geri kalanlar ise çantamda muhafaza edilmiş ve bir dolaba tıkıştırılmıştı.

Kıyafetler, üzerime tam olmuştu. Aslında her şey tam olmuştu. Sanki Danny Bell'in gerçek dünyasına –içinde yaşamamı bekleyen bir dünya– adım atmıştım.

Komodinin üzerinde duran, kuşe kâğıda basılmış bir dergide –tesadüfe bakın ki– annemin profilden çekilmiş büyük bir fotoğrafı vardı. Güzel vakit geçirdiğim hareketli bir günün akşamında dinlenirken Flavia de Sanchez hakkındaki yazıyı okudum: A.B.D.'nin doğu kıyısında geçen sıkıntılı çocukluğu, önce tiyatro, sonra da sinema oyuncusu olarak ilk zamanları, bir aktörle olan ve kendisinin çok genç olması ve başarısının adam tarafından kıskanılması sonucu sona eren ilk evliliği, 1984 yılında kazandığı Oskar ödülü, İngiliz Televizyoncular Kralı Sör Geoffrey Sheridan ile tanışıp bir eş ve bir annenin sıradan yaşamına özlem duyduğunu fark ettiği an, İngiltere'ye taşınması, çocuklar, ev, bahçe, tatmin duygusu, sonsuza kadar mutlu yaşam sahnesine yavaşça geçiş...

Bütün bunlar, çok küçük bir detay hariç, bugün gördüklerimle tam bir uyum içerisindeydi. Eğer Flavia de Sanchez'in hayatı, harika kocası ve dünya tatlısı ikizleri bu kadar mükemmelse, benim burada ne işim vardı? Neden bana ihtiyaçları olsundu ki?

O akşam aile yemeğinde ilk büyük sınavımla karşı karşıya kaldım.

Ahşap duvarlarında eski zamanlardan kalma tablolar asılı karanlık bir odadaydık. Masadaki çatal bıçakların sayısına bakılırsa milyon çeşit yemek servis edilecekti; Tara ise –şimdi de bir çeşit hizmetçi üniforması giymişti– yemek süresince elinde yiyecek ve içeceklerle odaya girip çıkıyordu.

Masanın bir kenarında Zak ve Gemma ile beraber ses çıkartmadan oturuyor, onların yaptıklarını gözlemliyor ve rezil olmamaya çalışıyordum. Masanın diğer tarafında oturan misafirlerimiz ise –ki tahmin etmem gerekirdi– benim bile tanıdığım ünlü bir oyuncu çiftti. Yeni ailemin sihirli bir ünlüler çemberinde yaşadığını, bu çemberde yalnızca benim gibi normal insanların anormal olduğunu hissediyordum.

Masanın bir ucunda zarif ev sahibi rolünü oynayan yeni annem otururken, diğer ucunda ise... hiç kimse oturmuyordu.

Bizler yemek salonunda toplanırken Flavia de Sanchez, "Geoffrey biraz geç kalabileceğini söylemek için aradı. Bir şirket mi ne alması gerekiyormuş," demiş, ardından da içi boş, küçük bir kahkaha atmıştı.

Sorun yoktu. Her şey yolundaydı. Ünlü oyuncular olan Tim ve Andrea'nın çocukları olmadığı ortaya çıkmıştı;

herhalde bu yüzden sohbetlerinde neşeli ve 'çocuklar da insandır' temalı bir tavır sergiliyorlardı. Cıvıl cıvıl bir ses tonuyla Zak ve Gemma'ya okulları, müzik çalışmaları ve yaptıkları sporlar hakkında sorular soruyorlardı.

Arada sırada içlerinden biri beni de sohbete katmaya çalışıyordu; ama ben kendimi rezil etmemek için gereğinden fazla çaba gösteriyor, cevap olarak sadece 'evet' ya da 'hayır' diyordum.

Ama gergin veya utangaç değildim. Doğruyu söylemek gerekirse yeni ailem ve son derece ünlü arkadaşlarının bu dertsiz ve havadan sudan muhabbetini dinlemekten zevk almaya başlıyordum.

Sonra bir anda atmosfer değişti. Ana yemeğin ortalarına gelmiştik ki, yeni babam son derece huysuz ve aceleci bir şekilde içeri girdi ve 'bana bakın' dercesine dramatik bir şekilde sandalyesine yığıldı.

Yeni annem bu sürprizden hoşnut kaldığını belirten bir yüz ifadesiyle, "Merhaba Geoff," dedi.

Ama bu bakmakta olduğum adam Geoff falan değildi. Bu daha çok bir Geoffrey, bir Sör Geoffrey, hatta bir Sör Geoffrey Sheridan idi ve muhtemelen bu ismi, çeşitli unvanlar bir gelinlik kuyruğu gibi takip ediyordu.

Sanki tabağının henüz önünde olmaması onu çileden çıkartmış gibi bir ifadeyle önündeki tabak altlığına baktı. Birkaç saniye sonraysa Tara, elinde bir kâse çorbayla içeri daldı. Sör Geoffrey ağzını şapırdata şapırdata iki üç kaşık çorba içtikten sonra kumaş bir peçete ile birkaç kez ağzına dokundu.

İşte bu sırada masanın etrafından ona beklentiyle bakan altı kişinin farkına vardı.

"Güzel!" Bunu söylerken verdiği nefesin hacmi inanılmazdı. "Demek herkes burada."

Gülümsemeye başlayınca diğerleri de sanki sinyal bekliyorlarmış gibi gülümsemeye başladılar.

Sör Geoffrey Sheridan'ı diğer bütün kelimelerden daha iyi anlatan bir kelime var: iri. Hem boyu bir seksenden oldukça uzun, hem de vücudu yapılıydı. Geniş bir yüzü, düz ve kalın bir atkuyruğu şeklinde saçları vardı. Güldüğü zaman o inci gibi ve tehlikeli dişleri bile anormal derecede büyük, sağlıklı ve aç görünüyordu. Arada sırada –konuşurken, sinirliyken ya da kendi söylediği bir şeye gülerken– bütün vücudu bir kurbağanınki gibi şişiyor ve çizgili takım elbisesini dolduruyordu.

Korkunç bir babaydı.

Yeni annem bana doğru gülümseyerek, "Bu Danny," dedi.

"Danny." İsmimin kabul edilebilir olup olmadığını düşünüyor gibiydi. Birkaç uzun saniyeden sonra yüzünde soğuk bir gülümseme belirdi ve "Burayı nasıl buldun Danny?" diye homurdandı.

"Harika!" dedim.

"Güzel." Yeni babam neşeli bir hırıltı çıkardı. "Güzel, Danny. Seni aramızda görmek güzel." Sağımda oturan

Zak'a döndü. "Her şey yolunda mı afacanlar?" Devlet okulunda okuyan ve kendinden güçsüzlere kabadayılık taslayan bir çocuk gibi güldü.

Sohbet yavaş yavaş yeniden devam etmeye başlamıştı.

Yemeğin sonunda tek yapmak istediğim odama gitmek, dev yatağıma tırmanmak ve uykuya dalmaktı; stresin bende böyle bir etkisi oluyor. Ama beni bekleyen bir sürpriz daha vardı.

Sör Geoffrey, peynirini bitirip önündeki tabağı ittikten sonra sıradan bir şey söylermiş gibi bir hava takınmaya çalışarak, "Ah, bu arada, Bayan Windsor yardım balosuna geleceğini teyit etti," dedi.

Masanın etrafından gelen tepkilere bakılırsa bu iyi bir haberdi.

"Tebrikler hayatım," dedi Flavia de Sanchez.

Yeni babam bir peçeteyle kibarca ağzını sildi. "Onur konuğu olması için maraz görünümlü ufak bir dük ya da prenses çağırmak zorunda kalmamanın rahatlatıcı olduğunu söylemeliyim."

Şaşkın görünüyor olmalıydım ki Zak bana doğru eğilip, "Babam Buckingham Sarayı'nda dev bir konser organize etti. Bütün büyük yıldızlar sahnede olacak," dedi.

"Aslında hiç de dev değil." Sör Geoffrey'nin hızlı ve sert konuşması Zak'ın yüzündeki gülümsemeyi silivermişti. "Birkaç iyi ve ünlü kişi için sarayda düzenlenen ve eğlenceye dünya çapında sanatçıların katılacağı özel bir parti bu sadece."

"Ama milyonlarca televizyon izleyicisi tarafından seyredilecek," dedi Gemma. "O açıdan çok büyük denebilir."

Yeni babam dramatik bir şekilde nefes verdi. Bitkin görünerek, "Ben size her zaman ne diyorum?" diye sordu. "Önemli olan, gücü elinde bulunduran insanlardır. Eğer sen onların gönlünü hoş tutarsan, sıradan insanlar –tüm dünyadaki televizyon izleyicileri ya da her neyse– peşinden geleceklerdir." Aniden bana döndü. "Bay ve Bayan Halk da böyle şeyleri hep takip ediyor, öyle değil mi Danny?"

Alçak sesle, "Sanırım," dedim.

"Biz birkaç tane sihirli sözcük –yardım konseri, Afrika'daki aç çocuklar, ünlülerden oluşan seyirci topluluğu, Kraliçe– söylüyoruz ve sizler de televizyonlarınızı açıyor, CD ve poster satın alıyor, kredi kartlarınızı elinize alıp telefon ediyor, bu şekilde hayatınıza biraz sıcaklık ve canlılık eklendiğini hissediyorsunuz, öyle değil mi?"

Aniden masada sıradan insanların temsilcisi haline gelmek beni biraz şaşırtmıştı. Birkaç saniye boyunca utanç dolu bir sessizlik oldu.

"Baba, Danny aslında…" Gemma'nın protestosu onun yönünde kalkan kocaman bir el tarafından engellendi.

Sör Geoffrey, "Bırak kendi cevabını kendi versin," derken sesinde yeni bir sertlik vardı.

Ama Gemma bana ihtiyacım olan az miktardaki cesareti vermişti.

Yeni babamın gözlerinin içine bakarak, "Televizyonla pek ilgilenmiyorum," dedim, "galiba yanlış kişiye soruyorsunuz."

Sör Geoffrey, sanki verdiğim cevap benim hakkımda duyduğu şüpheleri doğrulamışçasına homurdandı; masanın öbür tarafında ise Flavia de Sanchez yarınki tenis dersleri hakkında konuşmaya başlamıştı.

Tehlike anı geçmişti. Şimdilik…

İYİ VAKİT GEÇİRME ZAMANI

Şu kadarını biliyordum: Ortada bir tür televizyon işi dönüyordu. Yıldızı bendim, ama başıma gelenlerden tamamen habersiz olmam gerekiyordu.

Her yerde, attığım her adımı takip eden kameralar vardı. Channon Konağı'ndaki her odada bulunan güvenlik kameralarının içindeydiler. Her aynanın arkasındaydılar. Etrafımdaki yetişkinlerin çantalarında ya da yakalarında bile olabilirlerdi. Kabul edin: Yirmi birinci yüzyılda birisini günde yirmi dört saat izlemek hiç de zor bir şey değil!

Benden ne istiyorlardı? Değişim. Farklılaşma. Daha zayıf ya da güçlü, daha kendinden emin ya da daha kararsız, daha havalı ya da kendi gibi görünmeye azmetmiş biri haline gelmem isteniyordu. Belki de bütün bunların sonunda –Rafiq'in aklından neler geçirdiğini tam olarak bilmiyordum– yeni ve eski hayatım arasında bir seçim yapmam gerekecekti.

Peki ben onlara ne sağlayacaktım? Farklı bir şey. Sör Geoffrey güç sahibi insanların dünyanın geri kalanından farklı olduğunu söylediğinde haklıydı. Ama bilmediği bir şey vardı: Artık benim de elimde kendime göre bir güç bulunuyordu.

Artık karşı hücum zamanı gelmişti. Ve yalnız değilseniz karşı hücum her zaman daha kolaydır. Yedinci süvari sınıfını, yani diğer adıyla Maddy Nesbitt'i çağırma zamanı gelmişti.

Zengin ve ayrıcalıklı insanların gün boyunca ne yaptıklarını hızlı bir şekilde keşfediyordum. Eğleniyorlardı. Channon Konağı'nda zaman, gevezelik ederek, televizyon seyrederek ya da sağda solda oyalanarak harcanacak bir şey değildi. Günün her anının değerlendirilmesi gerekiyordu.

O pazartesi sabahı Zak saatine baktığında güneşli seradaki kahvaltımızı henüz bitirmiştik.

"Tenis oynamak isteyen var mı?" diye sordu.

"Johnny'nin sabahlarından birinde miyiz?"

"Aynen. Yine servis egzersizleri zamanı." Zak bana gülümsedi. "Senin oyunun nasıl?"

"Oyun?.."

"Bu sabah tenis öğretmenimiz geliyor. Wimbledon'da oynamış biri."

"Ve annemden hoşlanıyor," diye fısıldadı Gemma.

İrkildim ve sporla aramın pek de iyi olmadığı hakkında bir şeyler mırıldandım. "Ben kitap okuyacağım."

"Okuma zamanı daha sonra." Gemma ayağa kalktı ve bir atlet gibi ileri geri koşmaya başladı. "Biz burada sağlam kafanın sağlam vücutta bulunduğuna inanırız."

Görünüşe göre karar verilmişti. Haftanın geri kalanı için başka aktiviteler –yüzmek, macera parkına gitmek– planlanmıştı; ama pazartesi günü, bir topu ağ üzerinden aşırtmaya çalışmakla geçecekti.

Yarım saat sonra, baştan sona beyaz kıyafetler ve elimde bir tenis raketi ile korttaydım.

İkizlere söylediğim şey doğruydu; spora yatkın biri değilim. Ama onlar, nasıl bir akşam yemeğinde farklı biri olmayı öğrendiysem, kendisini yaşlı bir pop yıldızı gibi gösteren sarı saçlara sahip olan Johnny'nin yardımıyla, bir tenisçi de olabileceğimi kanıtlamaya azimli görünüyorlardı.

Bu gerçekleşmeyecekti. Hiçbir zaman. Bir saat boyunca Johnny bana raket tutmayı, dengeye dikkat etmeyi, dengeli durmayı ve topu kontrol etmeyi gösterdi. Ağ üzerinden birkaç top attı. Ya ıskaladım ya da çok sert vurduğum için korttan dışarıya attım.

Ağın öbür tarafında duran bir çeşit mancınık otomatik olarak top fırlatırken Johnny, yüzünde gıcık edici bir gülümsemeyle beni Zak ve Gemma'nın arasına koydu.

Onlar iyi oynuyorlardı. Bense ümitsiz vakaydım. Ben orda bocalayıp dururken bana üzülmemem gerektiğini, onların ilk başladıkları zamankinden çok daha iyi oynadığımı söylemeleri nedense işleri daha da kötü hale getiriyordu.

Utanç vericiydi. Sinir bozucuydu. Yorucuydu! Ve aniden fark etmiştim ki bana beklediğim fırsatı sunuyordu.

İstediğim an, bir topun önümde beklenmedik bir şekilde zıplayıp alnıma çarpmasıyla geldi.

Zak güldü. Johnny futbolda son derece yetenekli olduğum konusunda bir espri yaptı. Dizlerimin üzerine çöktüm ve yüzümü avuçlarıma gömdüm.

Muhteşem bir oyunculuk değildi. Gözlerimi ovuşturarak ve birkaç sene önce vefat etmiş olan en sevdiğim büyükannemi düşünerek ağlamak için elimden geleni yaptıysam da yalnızca isterik bir inilti çıkarabildim.

Onlar benim etrafımda toplanırken onları kenara ittim, hızlı adımlarla kort dışına yürüdüm ve raketimi yere fırlattım; sonra da eve koşup yukarıya, odama çıktım.

Geleli beş dakika olmuştu ki biri hafifçe kapıya vurdu.

Bir süre olabildiğince gürültülü bir şekilde burnumu çektim.

Flavia yavaşça kapıyı açtı. Yumuşak bir sesle, "İyi misin Danny?" diye sordu.

Hazırdım. Bu benim büyük rolümdü. Yüzümü buruşturdum. Başımı ellerimin arasına aldım; tam bir umutsuzluk portresiydi. Konuştuğumda çıkan ses boğuk bir fısıltıydı:

"Evimi özledim," dedim.

Yeni annemin o anki yüz ifadesini hiçbir zaman unutmayacağım: Sanki bir sahnedeki rolüne başlamak üzereyken biri aniden repliklerini değiştirmiş gibiydi. Yüzünde önce sempati, sonra ilgi ve bunun ne anlama gelebileceğini fark ettiği zamansa panik ifadesi oluşmuştu.

"Evini mi özledin?" Sesinde çok hafif bir titreme vardı.

"Yani hepiniz son derece iyisiniz ve ikizler de harika, ama..." Umutsuzca pencereye doğru kolumu salladım. "Ama, bilirsiniz işte, bu ben değilim."

Flavia de Sanchez, "Bunun için birazcık geç," derken, yüzündeki gülümseme gerginlik belirtileri gösteriyordu. "Bir sürü insan senin mutlu olman için çalışıyor. Başkalarını da düşünmen ve mutlu olman lazım Danny."

"Evimi çok özledim."

"O küçük daireyi mi?" Yeni annem önce kibarca güldü, sonra da benim hayatım hakkında hiçbir şey bilmiyormuş gibi görünmesi gerektiğini hatırladı. "Tabi eğer daireniz küçükse demek istedim."

"Arkadaşlarımı da..."

"Zak ve Gemma'nın bir sürü iyi arkadaşı var. Eminim seninle paylaşacaklardır."

"Keşke..." Oldukça zorlu bir düşünceyi toparlamaya çalışan biri gibi kaşlarımı çattım. "Bir arkadaşım gelip burada kalabilseydi."

Yeni annem bir süre bu fikri düşündü.

"Özellikle istediğin bir arkadaşın var mı?"

O gece Maddy'yi aradım. Şans eseri, annesi kısa süre önce olgun bir oğlak burcuyla tanışmıştı ve kendi deyimiyle biraz 'nitelikli kişisel zaman'a ihtiyacı vardı. Kızının ünlü Flavia de Sanchez'in evinde kalması için davet edildiğini duyunca Bayan Nesbitt'in neredeyse heyecandan kalbi duracaktı. Doğal olarak Maddy kendisinin Danny Bell Şov'da görüneceğini söylememeyi tercih etti; bu haber annesi için fazla gelebilirdi.

Böylece karar verildi. Ertesi gün Maddy'yi almak için bir araba gelecekti. Channon Konağı'nda bir hafta sürecek ufak bir tatil yapacaktı.

Bunun yeterli bir süre olduğunu düşünüyordum.

21. RÖPORTAJ: *Sör Geoffrey Sheridan*

SÖR GEOFFREY: *Çocuklar ve hayvanlarla aynı sahneyi paylaşmamak gerektiğini söylerler. Daha önce iki üç tanesiyle evlenmiş olsam da ben oyuncu değilim; ama size şunu söyleyebilirim: Hiçbir zaman çocuklarla iş yapmayın. Güvenilir değiller. Yüzünüzü kara çıkarırlar.*

RÖPORTAJCI: *Ama, tabi ki de...*

SÖR GEOFFREY: *Bir anlaşma yapmıştık. Çok özel sebeplerden dolayı bu sümüklü çocuğu Londra'nın kenar mahallesinden çekip almayı kabul ettik. Toplumun gözündeki imajımız konusunda çözülmesi gereken bir düğüm vardı. Bir süre iyi görünmek durumundaydık. Bu Danny adlı karakteri evime kabul etmenin işimle ilgili bazı sorunları çözeceği konusunda ikna edilmeye göz yumdum.*

RÖPORTAJCI: *Peki onun hakkında ne düşünüyordunuz?*

SÖR GEOFFREY: *Sözleşmedeki küçük puntoyla yazılmış kısma daha dikkatli bakmalıydım. Karşımdakine fazla güveniyorum; benim sorunum bu.*

RÖPORTAJCI: *Ama bir insan olarak Danny...*

SÖR GEOFFREY: *Bir insan? Onun hakkında hiç böyle düşünmemiştim. O bir anlaşmaydı. Son derece ters giden bir anlaşma.*

KOBAYIN ÖÇ ALMA ZAMANI

Salı günü için planlananlar arasında, doğal yaşam parkı kurmakta olan ünlü bir televizyon bahçıvanının ailesini ziyaret etmek, ardından yalnızca üyelerinin girebildiği bir restoranda hafif bir öğlen yemeği yemek, sonrasında da duruma göre Konak'taki film izleme odasında yeni bir film seyretmek vardı.

Bütün bunlar iptal edildi. Maddy –ya da yeni annemin deyişiyle 'Danny'nin küçük arkadaşı'– Tara'nın kocası John tarafından istasyondan alınacak ve öğleden önce burada olacaktı.

Tatil planlarının altüst olması yüzünden sinirli olmalarını beklediğim ikizler beni yine şaşırtmışlardı.

Maddy onlar için bir macera, bir sürprizdi. Kahvaltıdan sonra, o daha gelmeden önce, okulda nasıl biri olduğunu öğrenmek istemişler, hatta seri randevucu olan çılgın annesi hakkında bile sorular sormuşlardı. Hayatta istedikleri her şeye sahip olsalar da Zak ve Gemma'nın içinde bulundukları o küçük ve rahat ayrıcalık kutusunda yaşamın göründüğü kadar da mükemmel olmadığı hissine kapılmaya başlamıştım.

Farklı ve önceden tahmin edilemeyen şeylere açtılar.

Bu onlar için bir şanstı; çünkü Maddy bu özelliklerin ikisine de sahipti.

"Vay, ne güzel bir yer!"

Maddy o sabah John'un arabasından indi, Channon Konağı'na baktı ve güldü. "Tam bir *Elm Sokağı Kâbusu* mekânı. Mutlaka hayaletli olmalı."

"Sakin ol Maddy," diye mırıldandım.

Yeni annem öne çıkıp Maddy'nin yanağına hafif bir şov dünyası öpücüğü kondurduğu sırada ikizler arkasında dolanıyor, ben de yanında duruyordum.

"Ben Flavia de Sanchez."

Yeni anneme beklediği ilgiyi göstermeyen Maddy, "Bu harika bir ev Bayan Sanchez," diye mırıldandı.

"Biz de beğeniyoruz." Yeni annemin sesi biraz daha mesafeliydi. "Seni ikizlerle tanıştırayım: Zak ve Gemma."

Maddy bir an yeni kardeşlerime baktıktan sonra başını salladı. "Kötü kalpli ikizleri bile var!"

Zak ve Gemma kararsızca birbirlerine baktılar.

Flavia de Sanchez'in normalde solgun olan yanaklarında renkli bir bölge belirmişti. "Aksine, son derece iyi ve normal çocuklardır."

Ama Gemma gülmeye başlamıştı.

"Bu bir espriydi anne."

Zak, "Sana etrafı gösterelim," dedi.

İşte bu benim arkadaşım. Maddy. En soğuk ortamlardaki buzları bile eriten bir kaynak aleti gibidir.

Bahçeden dolaşıp eve giren önümdeki üçlüyü takip ederken işlerin gidişatından memnundum. An itibarıyla üzerimdeki baskı kalkmıştı. Beni düşündüren tek şey, Maddy'yi ailemden ve teknolojiden uzaklaştırıp olanları anlatmayı nasıl becereceğimdi.

Öğle yemeğinden sonra, güneşli odaya geçtiğimizde elime geçen fırsatı fark ettim.

Görünüşe göre Flavia de Sanchez, çocuklarının hiçbir şey yapmadan takılmalarını istemiyordu. Bütün sabah bahçede ve ev içerisinde gezinip durmuştuk. Artık Gemma'nın kütüphaneye gidip çello çalışmasının, Zak'ın da yaz tatili için verilmiş olan ödevlerinin bir kısmını yapmasının gerçekten de iyi olacağını düşünüyordu.

Yeni annem, Maddy ve bana doğru döndü. "Eminim sizin de yapacak bazı işleriniz vardır."

"Evet." Maddy'nin araya girip hiç ödevimiz olmadığını yumurtlamasına fırsat vermeden hızlı hızlı konuştum. "Bir biyoloji projesi üzerinde çalışıyoruz."

"Biz mi?" Maddy beceriksiz bir şekilde şaşkınlığını saklamaya çalıştı.

"Hatırlasana Mad?" Sert bir bakış fırlattım. "Bahçeye gidip... solucanlar üzerinde çalışmak zorundayız."

Şimdi herkes bana bakıyordu.

"Ah, doğru ya. Solucanların yaşam döngüsü. Burada hiç solucan var mı?"

"Olmalı." Flavia'nın birazcık midesi bulanmış gibiydi.

"Harika." Ayağa kalktım ve başımla Maddy'ye işaret ettim. "Öyleyse gitsek iyi olur. Solucanlar kimseyi beklemez." Bahçeye giden kapıyı açtım.

Yeni annem, "Belki de Bahçıvan George, size yardımcı olabilir," dedi.

"Hayır, gerek yok," dedim. "Biyoloji öğretmenimiz ödevimizi kendi başımıza yapmamız gerektiğini söylemişti."

Maddy dışarı çıkmıştı bile. Dişlerini sıkarak, "Hangi biyoloji öğretmeninden bahsediyorsun?" diye homurdandı.

Zak arkamızdan, "Bir küreğe ihtiyacınız olmayacak mı?" diye bağırdı.

"Hayır, gerek yok," dedim. "Parmaklarımızla idare ederiz."

Solucan biyolojisi konusuna daha fazla bulaşmadan oradan çıktık ve evden çabucak uzaklaşarak bahçede yürümeye başladık.

Tenis kortu yakınlarında bir bank buldum. Bahçıvan George'un yakınlardaki çimleri biçtiğini görünce de sevindim.

Maddy'ye, "Sanırım burada rahat ederiz," dedim.

"Tamam da ne oluyor Danny? Ve bu solucanlar hakkında söylediklerin ne anlama geliyor?"

Çiçek yataklarının ve çimlerin ardındaki eve baktım. Üst kattaki pencerelerin birinde bir yüz belirdi ve bir iki saniye sonra da karanlığa karıştı.

"Her yerde mikrofonlar ve kameralar var," dedim. "Eğer işleri tersine çevirmek istiyorsak her zaman bir adım önde olmalıyız."

Maddy çimlere uzandı. "Ya da devam ettiği sürece bu durumun tadını çıkarmalıyız."

"Bir tür test yaklaşıyor. Bu tür televizyon programlarında bu hep olur. Her zaman bir plan vardır, küçük bir dram ortaya çıkar. İçimden bir ses bu seferkinin Buckingham Sarayı'ndaki konserle bir ilgisi olduğunu söylüyor. Mutlu sonu sen de tahmin edebilirsin: Adı sanı bilinmeyen bir yerden gelen küçük bir çocuk, sadece ve sadece televizyonun büyüsü sayesinde İngiltere Kraliçesi ile tanışır."

Maddy, "Benim kulağıma hoş geliyor," dedi.

"Hayır." Sesimi alçalttım. "Bu işe devam etmemin tek nedeni kendi oyunumu oynamak istemem. Zevksiz bir televizyon deneyinde kobay olmak istemiyorum. Kendimi, kendi deneyim için kullanacağım."

"İntikam."

"Kesinlikle. Kobayın öç alma zamanı geldi."

"İyi de nasıl?"

Ona planımı anlattım.

22. RÖPORTAJ: *George Wills, Channon Konağı'nda bahçıvan*

GEORGE: *Bütün konak çalışanları bir tür televizyon projesi yürütüldüğünü ve küçük Danny'nin de bu projenin merkezi olduğunu biliyordu. Onu arkadaşıyla konuşurken gördüm, ama çim biçme makinesinden çıkan sesin mikrofonların çalışmasını engelleyeceğini düşünemedim.*

RÖPORTAJCI: *İçinizden herhangi biri Danny'ye olup bitenleri söylemeyi aklından geçirdi mi?*

GEORGE: *Hayır. Sör Geoffrey iyi ücret veriyor; ama Konak'ta ya sadece size söyleneni yaparsınız ya da kapı dışarı edilirsiniz.*

Yatak odamdan çıkıp açık bırakılmış tek ışığın bulunduğu sahanlıkla odam arasındaki iki metrelik mesafeyi yan yan yürüyerek geçtim. Işığın düğmesine bastığımda vakit gece yarısına yaklaşıyor olmalıydı.

Yalnızca koridordaki dolaplı ve sarkaçlı dev saatin tiktakları ve bir baykuşun bahçeden gelen tek seferlik ötüşü tarafından bozulan sessizlik. Karanlık.

Kalbim, ya biri duyarsa, diye korkutacak kadar yüksek sesle atarken, öylece durup gözlerimin karanlığa alışmasını bekledim.

Daha birkaç saniye önce simsiyah görünen yerlerde, kısa bir süre sonra şekiller görmeye başladım. Koridor boyunca yürüyüp kendi odamın, Zak ve Gemma'nın odalarıyla bir banyonun bulunduğu ek yapının kapısını geçtikten sonra Maddy'nin odasına vardım.

Uyanık kalacağına söz verdiği halde, ben hafifçe omuzlarından sarsıp, "Harekete geçme zamanı," diye fısıldadığımda derin bir uykudaydı.

Bana bakıp gözlerini kırptı; sonra da bir iniltiyle arkasını döndü. "Şaka yaptığını zannediyordum," dedi.

"Haydi oyalanma," diye fısıldadım.

İç geçirerek yataktan kalktı. İki hayalet gibi aşağıya indik. Koridordan geçip Sör Geoffrey Sheridan'ın çalışma odasına girdik.

Burada ufak bir sorunla karşılaştık. Dolunay vardı ve pencereden gelen ay ışığı, bizi gündüz bu odanın bir köşesinde durduğunu fark ettiğim kameraya karşı savunmasız bırakıyordu.

Duvar kenarından yavaşça yürüyüp bizi gözetleyen kameranın altından geçtim ve perdelerden birini çekerek kapattım. Artık sadece belirsiz gölgeler görülebiliyordu.

Bir sonraki kısım biraz daha zordu. Maddy'ye kameranın en yakınındaki duvara dayalı kalmasını söyledikten sonra emekleye emekleye Sheridan'ın çalışma masasına vardım, alt çekmecelerin birinden bir tomar kâğıt çıkardım. Masanın önünde duran koltuğu kameranın bize baktığı köşeye doğru ittim.

Duvarda kitaplar için yapılmış raflar vardı. Eğer yeterince yükseğe erişebilirsem kâğıtları, kameranın önüne gelecek şekilde, en üst rafa yerleştirebilecektim.

Ama bu iş için kısaydım. Bir tür maymun gibi raflara tırmanmak dışında o kamerayı engellemenin bir yolu yok gibiydi.

"Pısst!" Seslenen Maddy idi. Yere eğilmişti ve bana doğru bir şey itiyordu. Küçük ve portatif bir merdivendi bu; büyük ihtimalle Sheridan tarafından üst raflardan kitap almak için kullanılıyordu. Merdiveni koltuğun üzerine koydum. Maddy, merdiveni tutarak oynamamasını sağlarken yukarıya uzanıp kâğıtları mükemmel şekilde rafa dayadım. Kamera devre dışıydı.

Aşağıya inerek masa lambasını yaktım; artık araştırmamızı gözetlenmeden tamamlayabileceğimizden emindim.

Pencerenin yanında büyük bir dosyalama dolabı vardı. Tek yapmamız gereken doğru dosyayı bulmaktı; sonra o odadan çıkabilirdik. İlk çekmeceyi denedim. Kilitliydi. İkincisi ve üçüncüsü de öyle... Masanın üzerinde duran makasa uzandım ve kilidi zorladım.

Maddy, "Boş ver Danny," diye fısıldadı.

Masanın üzerinde içinde birkaç mektup bulunan bir evrak sepeti gördüm. Son bir umutla, işe yarar bir şeyler bulabilmek için kâğıtları karıştırdım. Üstlerdeki kâğıtlardan birinde "KendinOl TV Yapımcılık Ltd" başlığı altına yazılmış bir not vardı. Altındaki imza Rafiq'e aitti.

Notu lambanın altına tuttum ve "Dinle," diye fısılda-
dım:

"Saygıdeğer Sör Geoffrey, kulübünüzdeki öğle yemeği
için teşekkür ederim. AileniSeç belgeselinde size düşen gö-
rev konusunda anlaşmaya varmış olmamıza çok memnun
oldum. Şimdi karar vermemiz gereken tek şey var, o da
sarayda yapılacak galadaki 'sürpriz' sonrası Danny'ye ne
olacağı, yani 'aile seçimi'nin kalıcı olup olmayacağı. Flavia
ile bu konuyu konuştuktan sonra bana haber vereceğinizi
ümit ediyorum. Saygılar, Rafıq."

Mektubu dikkatlice sepete yerleştirdim.

"Sürpriz?" diye mırıldandım. "Kulağa hiç de hoş gelmi-
yor."

"Haydi çıkalım buradan."

Maddy tedirgin bir şekilde kapıya baktı.

Işığı söndürdüm ve sessizce yatak odalarımıza döndük.

KÜÇÜK BİR ADİ SUÇLU

Ertesi sabah hep birlikte kahvaltı ederken, hızla gelen bir arabanın konak kapısının önündeki çakıl taşı döşeli yolda, kızgın bir gıcırtıyla fren yapıp durduğunu duyduk.

Zak bir an için endişeli gözlerle Gemma'ya baktı. "Bu babam olmalı," dedi.

Masanın başında oturan Flavia de Sanchez, "Daha gideli bir saat oluyor," diyerek ayağa kalktı ve olan biteni anlamak için dışarı çıktı.

Maddy ile ben başımızı öne eğip kahvaltımıza devam ettik.

Saniyeler geçti. Yemek odası dışından sesler geliyordu. Yeni annem olayı yatıştırmaya çalışıyor gibiydi.

Kapı açıldı ve Sör Geoffrey Sheridan'ın geniş vücudu kapı çerçevesinin içinde bir tablo gibi belirdi. Sağ elinde tuttuğu kâğıt tomarını hatırlamakta zorlanmadım.

Dün gece Sör Geoffrey'nin çalışma odasından çıkmak için acele ederken kamerayı bloke edilmiş bir şekilde bıraktığımızın farkına varan Maddy'nin ağzından küçük bir çaresizlik iniltisi çıktı.

"Bunları güvenlik kamerasının önüne kim yerleştirdi?" Sör Geoffrey'nin yüzü solgun, sesi ise alçak ve tehlikeliydi. "Arabadayken telefon geldi. Dün gece tüm güvenlik birimlerim alarm durumunda beklemiş."

"Yani birisi içeriye mi girmiş demek istiyorsun baba?"

Bu Gemma'ydı.

Yeni babam kahvaltı masasının etrafında, bir tanığı gözyaşlarına boğmak üzere olan bir savcı gibi dolanıyordu.

"İçeri girilmemiş," dedi. "Dışarıdan gelen kimse yok. Hatta yetişkin biri de yok. Dışarıdaki güvenlik kameraları koridorda bir kişinin siluetini yakalamış." Durakladı, sonra da öfke dolu gözlerle doğrudan bana bakarak, "Sizlerden biriydi," dedi.

Flavia girişte duruyordu. Eski filmlerinden gelen seksi bir ses tonu ile, "Hayatım," dedi, "neden bu işi bana..."

"Kapa çeneni! Birisi benim ofisime girdi, güvenlik kamerasını engelledi ve dosyalarımın bulunduğu dolabı açmaya çalıştı. Çizikler hâlâ orada duruyor."

Sör Geoffrey'nin gözleri hâlâ bana sabitlenmiş şekilde duruyordu. "Danny," dedi, "bizi dün gece birazcık uyurgezerlik yapıp yapmadığın konusunda aydınlatmak ister misin?"

Başımı eğip tabağıma baktım; yanaklarım kızarmıştı.

"Ve Danny!.." Sesi çelik gibi ve tehditkârdı. "Sonra da beni, ofisimden tam olarak ne çalmaya çalıştığın hakkında bilgilendirebilir misin?"

"Bunu Danny'nin yaptığını nereden biliyorsun baba?"

Zak'ın sesinde hafif bir titreme vardı.

Gözleri hâlâ bana dikili şekilde, "Lütfen ben izin vermeden konuşma," dedi babası. "Danny, sen küçük bir adi suçlu musun?"

"Hayır."

"Londra'da bu tip işlere mi bulaşıyorsun? Azıcık vandalizm? Biraz ufak çaplı hırsızlık?"

Maddy alçak ve isyankâr bir ses tonuyla, "Bu hiç de hoş değil," dedi.

Sör Geoffrey, "Biz burada o tip şeyler yapmayız da..." diye devam etti. "Eski kafalılık işte. Bu tarz davranışlar bize göre değil."

Yemek odasında bir sessizlik olmuştu. Kendimi derin nefes alırken ve tabağımda duran katılaşmış yumurta ile domuz pastırmasına bakarken buldum. 'Sör Geoffrey bana ne yapabilir?' diye düşünüyordum.

Bu bir televizyon programıydı. Eğer beni eve gönderirse bütün bu AileniSeç aldatmacası tepetaklak olurdu. Öte yandan iri biriydi ve gerekli her yerde tanıdıkları vardı. Bana istediği zaman ve istediği şekilde zarar verebilirdi. Mantık sahibi hiç kimse Sör Geoffrey Sheridan'ın yoluna çıkmazdı; özellikle de evinden uzak ve on üç yaşındaysa. Her geçen saniye gücümün azaldığını hissediyordum.

Masanın altında yumruklarımı sıktım, derin bir nefes aldım ve...

"Ben yaptım."

Kafamı kaldırıp masanın diğer tarafına baktığımda Gemma, yüzünde ürktüğünü belirten küçük bir gülümsemeyle babasına bakıyordu.

Sör Geoffrey ona doğru soğuk bir bakış fırlattı.

"Ben... ben karnemi görmek istemiştim," dedi. "İçindekiler konusunda endişeliydim."

"Yalan söylüyorsun!"

Sör Geoffrey yaklaşmaya başladı; bir an kızgınlığının kaynağı olan kâğıtlarla ona vuracağını sandım.

Flavia de Sanchez, "Gemma, inanamıyorum!" dedi. "Bugünü odanda geçireceksin." Kocasına doğru yürüdü. "Bu işi bana bırak," diyerek sanki odadan çıkartmak istermiş gibi kocasının dirseğinden tuttu.

Sör Geoffrey sert bir hareketle kolunu çekti ve yavaş yavaş kapıya doğru yürüdü. Parmağıyla beni işaret ederek alçak sesle, "Kötü örnek," dedi. "Şirketlerimden birinde kötü örnek gördüğüm zaman ne yaparım, biliyor musun?"

Yutkunup başımı hayır anlamında salladım.

Sağ eliyle vahşi bir doğrama hareketi yaptı. "Kesip atarım. Anlaşıldı mı?"

Başımı eğdim.

Saniyeler sonra araba çakıl sıçratmaya başlamış, yeni babam da işine geri dönmek için yola koyulmuştu.

23. RÖPORTAJ: Zak ve Gemma Sheridan

ZAK: Okuduğumuz yatılı okuldaki çocukların çoğu bize benziyor. Hayatta çok başarılı olmuş insanların çocukları için düşünülmüş bir yer...

GEMMA: İyi bir yer ve biz de orada çok eğleniyoruz; ama bunda kendimizi oraya ait hissetmemizin de payı var. Fakat arada sırada oraya ait olmayan birileri de geliyor.

ZAK: Yanlış kıyafetler, yanlış yüz...

GEMMA: Yanlış aksan.

ZAK: Ve aniden, onlarla aramızdaki, herkesin çoğu zaman görmezden geldiği büyük farkı görüyorsunuz. Ünlülerin çocuklarıyla tek suçları normal olmak olan diğerleri arasındaki farkı. Bu yüzden de onlara kötü davranılıyor.

GEMMA: Çok ağır şeyler değil, ama insana kendisini aptal ya da yalnız hissettirecek türden davranışlar. Ve biz de çoğu zaman işin içinde oluyoruz.

ZAK: Ya da en azından sesimizi çıkarmıyoruz. Çünkü biliyoruz ki eğer Kevin ya da Sharon'ın tarafını tutarsak...

GEMMA: Onlara bu isimlerle hitap ediyoruz.

ZAK: Herkesin, bizim garip insanlar olduğumuzu düşünmelerini göze alırız.

RÖPORTAJCI: *Bunun konumuzla ne alakası olduğunu tam olarak...*

GEMMA: *Böylece Danny ortaya çıktığında, anne ve babamız bir çocuğa hayatını değiştirmek için fırsat verecek bir televizyon programından bahsettiğinde, bir süre bu oyuna biz de katıldık.*

ZAK: *Ama sonra bütün bunların sanki Danny ile değil, bizlerin ne kadar harika ve iyi kalpli olduğuyla ilgili olduğunu düşünmeye başladık.*

GEMMA: *Yani 'şu Sheridan'lar neredeyse normal insanlara benziyorlar' gibi...*

ZAK: *Annemin deyişiyle, 'siviller'e.*

GEMMA: *Kahvaltıdaki hesaplaşmadan sonra –babam Terminatör rolünü oynadığında– sanki bir anda her şey açıklığa kavuştu.*

ZAK: *Ama sorun şuydu: Danny elinden gelenin en iyisini yapıyordu. Okulda her zaman harekete geçmemiz konusunda konuşup dururlar. Burada da Danny, hayatını değiştirmeye çalışıyor, ama aptalca bir televizyon programı için günah keçisi olarak kullanılıyordu*

GEMMA: *Ve biz Danny'nin okula yeni gelen bir Kevin olduğunu fark ettik.*

ZAK: *Ve bu duruma karşı çıktık.*

GEMMA: *Ben karşı çıktım.*

ZAK: *Kız kardeşim karşı çıktı. Ben de aynısını yapmak üzereydim, ama o benden önce davrandı.*

ŞÖHRETİN SİHİRLİ TOZU

Bir süre rüyalar âleminde dolaştık.

Kahvaltıda kopan patırtıdan sonra Gemma birkaç saat boyunca odasında hapis kalmış, sonrasında da hayat burada 'normal' olarak nitelendirilen seyrine dönmüştü.

Sör Geoffrey birkaç gün boyunca etrafta neredeyse hiç görünmemişti. İkizler de rahattılar; ama bunun sebebi, kafadan çatlak babalarının etrafta olmaması değil, ünlü annelerinin normalden daha sakin ve rahat görünmesiydi.

Maddy ara sıra annesiyle konuşuyor, içinde bulunduğumuz yeni ve büyülü hayatı anlatırken gizli kameralardan ya da kraliyet galası için planlanan gizli sürprizden bahsetmemeye özen gösteriyordu. Bayan Nesbitt sır tutmakta pek başarılı sayılmazdı. Ve ünlülerin, kraliyet ailesinin ve kendi küçük kızının da içinde bulunduğu bir sır birkaç saniye içinde tüm ülkeye yayılabilirdi.

Maddy'ye göre planımız tıkır tıkır işliyordu. Sör Geoffrey'nin yarattığı fırtınadan sağ çıkmıştık. Planlarının ne olduğunu çaktığımızdan haberleri yoktu. Durum kontrolümüz altındaydı.

Emin ol öyledir Maddy. Buna ben de inanmak istiyordum, ama bir tür tuzağa doğru adım adım ilerlediğimizi hissediyordum. Biraz fazla iyi vakit geçiriyorduk.

Çünkü emin olduğum bir şey vardı. Televizyon eğlenceye vakit ayırmaz. Aklı başında hiç kimse üç beş çocuğun iyi vakit geçirmesi hakkında bir belgeseli seyretmek için televizyon karşısına oturmaz. Zorlu bir test, kurnazca planlanmış bir televizyon draması yaklaşıyordu.

Bir sonraki salı günü ünlülerin katılacağı bir çay partisi düzenlenmişti. Yiyecek tedarikçileri ve garsonlar gün boyunca oradan oraya koşuşturmuşlar, masaları çok sayıda şöhreti uzun bir süre mutlu kılacak miktarda kek, jöleli tatlı ve şampanya ile bezemişlerdi.

Partinin tam olarak ne için verildiği bir muammaydı. Hiç kimsenin doğum günü ya da hiçbir şeyin yıldönümü kutlanmıyordu. Zak annesine kimlerin geldiğini sorduğunda annesi hafifçe gülümsemiş ve "Sadece arkadaşlar geliyor bebeğim. Her zamanki topluluk işte," yanıtını vermişti.

Birkaç saat sonra bir çeşit şöhretler cennetindeydim.

Az ilerde, herhangi bir şov dünyası ödülü aldığında gerçek gözyaşları dökmesiyle ünlü bir aktör, Flavia ile konuşuyordu. Arkalarında ise Sör Geoffrey son derece ünlü bir futbolcunun belinden tutuyordu; beraberce seyrek saçlı bir söyleşi programı sunucusuyla konuşmaktaydılar. Birkaç komedyen ve bir haber sunucusu, ikizlerle beraber kroket oynuyordu.

Bazı insanlar, bu gibi durumlarda başarılıdırlar. Mesela Maddy kısa bir süre sonra sanki hayatı boyunca bu işi yapmış gibi, ünlü insanlarla sohbet etmeye başlamıştı. Hatta ona baktığınız zaman onun da bir tür yıldız olmadığına inanmanız güçtü. Misafirlerden onun üzerine bir tür sihirli şöhret tozu bulaşmışçasına bu insanların yanındayken parıldıyor, daha güzel ve daha kendinden emin görünüyor gibiydi.

Ben ise farklıyım. Arka planda gizlenmiştim. Biri benimle konuşmaya başladığında, tam cevap verecekken bir panikle nerede olduğumu fark ediyordum. Bir şarkıcının, komedyenin, dizi oyuncusunun, haber sunucusunun karşısındaydım. Hepsi bana, Danny Bell'e bakmaktaydı.

Kendi kendime, "Sakin ol," diyordum. "Maceralarından birini yaşamakta olan Jay Daniel Bellingham olduğunu farz et." Ama Jay bugünlerde hiç ortalıkta görünmüyordu. Buluşma daha da pırıltılı bir hal aldıkça, ben de bahçeden sıvışıp odamda saklanmayı daha çok arzuluyordum.

Yaklaşık yarım saat sonra Sör Geoffrey şampanya kadehinin kenarına bir kaşıkla vurdu. Misafirler, etrafında toplandılar.

"Galamız hakkında konuşma vakti geldi." Sesi bahçenin bir ucundan diğer ucuna kadar yankılanıyordu. "Yoksa artık 'Kraliyet Galası' mı demeliyiz?"

Seyrek bir alkış duyuldu.

"Bu, Dünya Çocukları adlı hayır kurumuna yardım için düzenlenmiş gizli bir projeydi," diye devam etti. Amaç, davet edilen…" gurur dolu, kısa bir kahkaha attı, "dünyaca ünlü dostlarımızın huzurunda harika bir akşam organize etmek. Bu akşam bütün dünyada canlı olarak yayınlanacak, kaydedilecek ve CD'si çıkarılacak. Amacımız, bu mükemmel amaç için beş milyon toplamak."

Kendilerini alkışlayan ünlülerin alkışları bir kez daha bahçede yankılandı.

Arkalardan birisi, "Hangi sanatçılar yer alacak?" diye bağırdı.

Sör Geoffrey gülümsedi. "Dünya Çocukları Gecesi'nde sahne alacakların çoğu bugün aramızdalar," dedi. "Ama programda henüz ismi açıklanmamış bazı sanatçılar için bir iki boş zaman dilimi mevcut. Bu gecenin teması 'yeniden başlamak' ve biz de bu yüzden bir zamanlar çok ünlü olan, şimdi ise saklandıkları yerden çıkıp yeniden sahne tozunu yutmak isteyecek bir iki sanatçı bulmak istedik."

Birkaç komedyen ve televizyon sanatçısı ismi sıraladı. Verdiği isimler o kadar uzun zamandır ortalıkta yoktular ki hiçbirini daha önce duymamıştım.

"Geriye sadece grup kalıyor," dedi. "Yirmi ya da otuz sene önce listelerde bir numaraya yükselmiş, ama uzun zamandır beraber müzik yapmamış bir grup istiyoruz. Üç dört tane grup aklımıza geldi, ama ya artık üyeleri birbirleriyle konuşmuyor ya da solistleri bir uyuşturucu bağımlılığı rehabilitasyon merkezinde veya," kendi çapında nazikçe güldü, "artık aramızdan ayrılmış durumda."

Sohbet devam ediyordu. Öğle güneşi altında, galanın bir ay içerisinde gerçekleşeceğini; bunun, bu hafta sonuna doğru duyrulacağını öğrendik. Ve bütün bunlar Buckingham Sarayı'nda –yeni babam bu bilgiden, sonradan aklına gelmiş önemsiz bir detaymış gibi bahsetti– gerçekleşecekti.

O akşam, şoförler tarafından kullanılan arabalar gittikten ve biz yeniden klasik bir aile haline döndükten sonra, Buckingham Sarayı'ndaki gala hakkında daha detaylı bir şekilde düşünmeye başladım. Bu da mı televizyon programının bir parçasıydı? Mümkün değil. Dünyaca ünlü insanlar, bu tarz bir oyuna alet olmazlar.

Belki de yalnızca bir tesadüftü. Danny Bell'in testlerinden biri de saraya gitmek, ünlü müzisyenlerle takılmak ve belki de Kraliçe ile tanışmaktı.

Bunu yapabilirdim. Eğer kibarca gülümser, konuşmaktan mümkün olduğu kadar kaçınır ve burnunuzdan bir şeyler sarkmadığına emin olursanız rezil olmaktan kurtulabilirsiniz; Buckingham Sarayı'nda bile.

Gala gecesi hakkında aklıma takılan bir nokta daha vardı.

Maddy'ye, dişlerini fırçalarken bu durumdan bahsettim (banyoda gizli kamera ya da mikrofon bulunmasının düşük bir ihtimal olduğunu fark etmiştim).

"Müzik grubu hakkındaki konuşmalar," dedim, "Sanırım benim içindi." Maddy ağzı köpüklü bir şekilde dik dik bana baktı. "Sheridan'ın konuşmasında. Aradıkları grup, dev bir gala organize ettikleri halde babamın eskiden dahil olduğu müzik grubuna tamı tamına uyan bir topluluk için hâlâ bir boşluk olmasını garip bulmadın mı?"

Bu sırada Maddy ağzındaki diş macununu tükürdü. "Baban bir müzik grubunda mıydı? Ben onun sadece işe yaramaz biri olduğunu düşünmüştüm. Yani onu sahnedeyken hayal etmekte zorlanıyorum demek istiyorum."

Gülümsedim. "O da senin gibi düşünüyor. Ama bir zamanlar Tony adında bir gruptaydı. 1970'lerde birkaç hit şarkı yaptıktan sonra dağılmışlar."

"Bunun galayla ne ilgisi var?"

"Kulağa aptalca geliyor, biliyorum. Ama sanırım bana bir tuzak kuruluyor. Rafiq'in bahsettiği sürpriz bu işte. Bir çeşit test. Çocuk, babasını tekrar sahneye çıkartabilecek mi?"

"Ama baban evden dışarı bile çıkamıyor Danny. Ondan Buckingham Sarayı'nda, Kraliçe'nin önünde çalmasını istemek biraz fazla olmaz mı?"

"Kesinlikle. Bana yükledikleri utanç verici durum da bu zaten. Bir tarafta parası, gücü ve milyon tane ünlü arkadaşı olan yepyeni bir aile. Diğer tarafta ise böylesine büyük bir fırsatı bile değerlendiremeyen ve ailesine karşı görevlerini yerine getiremeyen bir baba."

Maddy yüzünü yıkamaktaydı. Bir süre için yüzünü havluya gömdü ve tekrar ortaya çıktığında, "Paranoyaklaşıyorsun Danny. Galanın eski bir gruba ihtiyacı var ve bunun seninle veya babanla hiçbir ilgisi yok," dedi.

Omuz silktim; aniden bu fikir azıcık benmerkezci gelmeye başlamıştı.

"Her neyse," dedi Maddy. "Babanın grubunun geri kalan üyelerine ne oldu? Nerede olduklarını biliyor musun?"

Hayır anlamında başımı iki yana salladım.

"En azından baban onlarla konuşuyor mu, onu söyle?"

İrkilmiştim. Aradan çeyrek asır geçmiş olmasına rağmen, Tony'nin dağılmasından bahsedilmesi babamı çileden çıkarıyor, küfür üzerine küfür ediyordu.

Maddy, "Peki o zaman," dedi. "Senin yerinde olsam bu konu hakkında daha fazla düşünmezdim. Eğer bu bir sınavsa utanç verici bir duruma düşmemek için yapabileceğin en iyi şey, olanları görmezden gelmek olacaktır."

"Belki de haklısın." Diş fırçamı elime aldım. "Galiba babamı bu işin dışında tutmalıyım."

24. RÖPORTAJ: Dave Bell

DAVE: *Telefon, gecenin bir yarısında geldi. Evlat arıyordu. Doğruyu söylemek gerekirse sesini duyduğumda boğazım düğümlendi. Tabi azıcık kafayı çekmiş olduğumu da belirtmeliyim.*

RÖPORTAJCI: *Sesi nasıl geliyordu?*

DAVE: *Gösterişli, buyurgan, emin. Farklı. Aklına bir fikir geldiğinden, mükemmel bir intikam alma yolu bulduğundan* bahsediyordu. Bir kaçık gibi sürekli aynı şeyi tekrarlıyordu: "Mükemmel bir intikam alma yolu baba! Mükemmel bir intikam alma yolu!"

RÖPORTAJCI: Peki sizin buna tepkiniz ne oldu?

DAVE: Ne olduğumu şaşırdım. Hayır, şöyle söyleyeyim: Neden söz ettiği hakkında hiçbir fikrim yoktu.

RÖPORTAJCI: Ama gitmeden önce size neler döndüğünü anlat...

DAVE: Evet, aslında bir belgeselden bahsettiğini ve bazı televizyoncuları kendi kazdıkları kuyuya nasıl düşüreceğini söylediğini hatırlıyorum. Ama ben bütün bunları gençliğin getirdiği deliliğe yormuştum. "Tabi evlat, anlıyorum," deyip geçiştirmiştim.

RÖPORTAJCI: Sonrasında size hatırlattığı zaman?

DAVE: Tamamen onu tatmin edecek şekilde davrandım. Daha sonra Kraliçe'nin önünde çalmaktan bahsetmeye başlayınca yine kendi gezegenine döndüğünü düşündüm.

RÖPORTAJCI: Yani eski arkadaşlarınızla yeniden bir araya gelme fikri ilginizi çekmedi mi?

DAVE: Eski arkadaşlar? O ****** ********* için kılımı bile kıpırdatmazdım. Hepsi birer ******** **** bence! ******** *****!

HAYAT, BAŞKA ŞEYLER PLANLAMAKLA MEŞGULKEN BAŞINA GELEN ŞEYDİR

Ertesi gün harekete geçtim. Yeni anneme haberi verdiğimde ailecek kahvaltı ediyorduk. "Eve gitmek istiyorum," dedim.

Birkaç saniye boyunca masanın çevresinde sessizlik hâkim oldu.

"Eve?" Yeni annem artık ezberlemeye başladığım bir şekilde sesini titreterek –sanki duyduklarına inanamıyormuşçasına– beni tekrar etti:

"Ama Danny, senin evin burası."

"Gerçek evime," dedim. "Evimi özledim. Babam konusunda endişeleniyorum."

Maddy'nin masanın öbür ucundan gözlerini kısarak bana baktığını fark ettim. Ünlüler ülkesindeki tatilini yarıda kesmeye hiç niyeti yoktu.

"Sadece bir günlüğüne," dedim. "Bu gece geri geleceğim."

"AileniSeç'in bu konuda kuralları yok muydu?" Flavia de Sanchez hâlâ gülümsüyordu, ama bu durumdan hiç de memnun olmadığı belliydi. "Bana senin birkaç ay boyunca evini ziyaret etmemen gerektiğini söylediklerine eminim."

Omuzlarımı silktim. Her geçen saniye daha da güçleniyordum.

"Kahvaltıdan sonra Rafiq'i ararım," dedim. "Gitmemde onun açısından bir sorun olmadığına eminim."

Yoktu. Birkaç dakika sonra AileniSeç'teki eski dostumu aradığımda şaşırmış, endişelenmiş ve bir süre sonra da tamamen ikna olmuştu. Flavia'dan biraz oyunculuk dersi alsa iyi olacaktı doğrusu.

İki şartı vardı ve ben ikisinden de pek memnun değildim. Gerçek evime Sör Geoffrey'nin büyük ve parlak araç filosundaki arabalardan John tarafından kullanılan bir tanesiyle götürülecektim. Daha da kötüsü, akşam saat yedide John beni geri götürmek için gelecekti.

Ayrıca —o zaman bu şartın garip olduğunu düşünmüştüm— Rafiq, yeni kişiliğimin kıyafetlerini giymem konusunda ısrar etmişti. "Senin eski Danny'ye dönüşmeni istemeyiz," dedi. "Geçmişine kısa bir ziyaret yapıyor olsan bile gerçekte kim olduğunu unutmamalısın. Kıyafetler bunu her şeyden daha iyi yapar."

Böylece yarım saatten az bir süre sonra kendimi, camları karartılmış bir limuzinin arka koltuğunun yumuşak derisine gömülmüş buldum. Kırklı yaşlardaki, sert yüz hatları olan, filmlerdeki korumalar gibi aynalı gözlük takmayı ve sakız çiğnemeyi seven John'un, on üç yaşındaki bir ufaklığı Batı Londra'ya götürüp sonra da geri getirmekten pek hoşlanmayacağını düşünmüştüm; ama o yolculuk boyunca anormal derecede konuşkan ve garip bir şekilde ailemle ilgiliydi.

Önceleri onu kibarca yanıtladım. Evet, babam evde çalışıyordu. Hayır, sakat değildi. Evet, bir kariyeri vardı. Hayır, aslında birkaç yıldır bir topluluk önünde şarkı söylememişti.

Olan biteni anlamam, babamın eski grubunun adını söyledikten sonra oldu.

"Tony? Baban Tony'de miydi?" John kıkırdadı ve başını sağa sola salladı. "Küçükken o grup için deli olurdum. Sev beni, terk et beni, kim dinler ki seni?" John'un sesi duyduğum en iyi ses olmasa da babamın en ünlü şarkılarından birini söylediğini anlamıştım. "Tony'yi bir kez daha seyretmek için neler vermezdim," dedi, "son bir kez daha, anlıyorsun ya…"

"Evet." Kaldırımlardaki insanlara baktım –birbirleriyle konuşan, mağazaların vitrinlerine bakan, normal hayatlar yaşayan– ve birden kendimi azıcık kaybolmuş hissettim; sanki karartılmış camın ardındaki gerçekliğe bir daha hiç dönemeyecekmiş gibiydim. Arabada bir kamera olduğu açıktı. John da şov için benimle küçük bir röportaj yapıyordu.

"O dörtlü hâlâ birbirleriyle görüşüyorlar mı?" diye sordu.

"Arada sırada…" dedim.

Araba Bloemfontein Sokağı'na girdiğinde önümüzde White City'nin tanıdık binalarını gördüm. Kimseye görünmemek için arabanın koltuğuna iyice gömüldüm.

John, "Adres neresi?" diye sordu.

"Beni parkın kenarında bırakman yeterli. Oradan yolumu bulurum."

John aynadan beni süzdü. "Utanıyor muyuz?"

Omuz silktim. "Dikkatleri üzerime çekmek istemiyorum."

Parkın kenarına yaklaşana kadar ona arabayı ara sokaklardan sürdürdüm. Değişen pek bir şey yoktu: Aynı ayyaşlar, aynı köşedeydiler; etrafı çevrili küçük oyun parkında tahterevallilerin ve salıncakların üzerinde aynı çocuk çetesinin üyeleri sallanıyordu; aynı geniş omuzlu köpekler çimenlerin üzerine aynı devasa kakaları bırakmaktaydılar. Ama son birkaç günde benim kafamda değişen bazı şeyler olmuştu ve baktığım yer yabancı bir ülkeden farksız görünüyordu.

Çocuklardan bir iki tanesi –yıllar boyu yüzlerini gördüğüm, şimdi on beş ya da on altı yaşlarında olanlar– arabaya doğru baktılar.

"Belki de beni köşede bıraksan iyi olacak," dedim.

"Çok yol kat etmişsin evlat," dedi John. "Senin yerinde olsaydım kimse beni buraya geri getiremezdi."

Gülümsedim. Bugünlerde insanlar benimle konuşurken, havadan sudan konuşarak vakit geçiriyor gibi görünürlerken aklımda, diğer tüm sorulardan daha önemli bir soru oluyordu: Kamera nerede?

Arabadan inip John'a hızlı bir şekilde veda ettikten sonra Gloria Konutları yönüne doğru yürümeye başladım. Kimse bana bakmadığı halde –parktaki çocuklar bile araba uzaklaştıktan sonra ilgilerini yitirmişlerdi– dev boyutlardaki karanlık apartmanlara yaklaşırken binlerce çift göz üzerimdeymiş gibi hissediyordum. Üzerimdekiler –gösterişli spor ayakkabılar, üzerinde Rodeo Drive* yazan bir tişört, tanınmış marka bir kot pantolon– bir şekilde beni, o an içinde yürümekte olduğum dünyadan ayırıyordu.

Ya da bütün bunları hayal ediyordum. Belki de sadece, 'Bakın Danny geliyor, bugünlerde oldukça iyi görünüyor, değil mi? Onu bir süredir görmemiştim.' diye düşünüyorlardı. Ama kalbim artık buraya ait olmadığımı söylüyordu.

Taş merdivenler hâlâ soğuk, rutubetli ve çiş kokuluydu. Bizim evin altındaki daireden hâlâ gümbür gümbür elektronik müzik sesi geliyordu. Kapıya varıp anahtarı kilide soktuğumda cesaretim biraz daha kırılır gibi oldu.

Televizyondan gelen uğultu haricinde ev sessizdi. Koridorda ilerleyip oturma odasının kapısını açtım. Gördüğüm manzara, neredeyse beni dönüp arkama bakmadan yeni hayatıma kaçırtacak türdendi. Son birkaç gündür yenilen

* Los Angeles'ta pahalı mağazaların bulunduğu ünlü bir sokak. [Ç. N.]

yemeklerden arta kalanlar –pizza ve börek kırıntıları, donmuş domates soslu patates cipsleri– masanın üzerini ve yerleri kaplamıştı. Karşı duvarın kenarına boş bira kutuları dizilmişti. Dağınık üç beş müzik dergisinin bulunduğu divanda babam gelişigüzel yatmış, düzenli bir şekilde horluyordu.

Kendini bırakmış bir görüntüsü vardı; sanki teröristler tarafından karanlık bir hücrede günlerce rehin tutulmuş gibiydi. Gözleri kafasının içine doğru çökmüştü ve sakalının günlerdir kesilmediği belli oluyordu. Odada bayat bir ter ve yıkanmamış kıyafet kokusu vardı.

Tabakları sessizce toplamaya başlamıştım ki gözlerini açtı.

"Hey, evlat." Divanda doğrulup oturdu. "Sızmış olmalıyım. Ben... geç saatlere kadar yeni bir şarkı üzerinde çalıştım."

Sanki rüya görüp görmediğini kontrol edermiş gibi gözlerini benim üzerimde odakladı ve kırpıştırdı. "Geri geldin." Ayağa kalkmak için çabaladı ve bana sarıldı. Uzaklaşmamak için kendimi zorladım, ama ondan gelen koku işimi zorlaştırıyordu. "Seni özledik evlat."

Bana daha yakından baktı ve "Kıçıma benzemişsin," dedi. "Neler oluyor?"

Lüks yaşamdan, hizmetçilerden ve kocaman evden mümkün olduğu kadar az bahsetmeye çalışarak babama AileniSeç'in bana yeni bulduğu aileyi anlattım. Ben konuşurken suratında o tanıdık iğrenme ifadesi belirmişti.

Babam, zengin ve başarılı olan herkesin –nasıl olduğunu anlatmaya gerek bile duymayacağı kadar bariz olduğunu düşündüğü bir yolla– onun hakkını yiyerek o duruma geldiğini düşünüyordu.

İlgisini çekmek umuduyla, şöhretlerin katıldığı çay partisindeki bazı ünlü yeni nesil oğlan gruplarından bahsettim.

Küçümseme dolu bir şekilde omuz silkti. "Bebeler. Cici oğlanlar. Şansı yaver gitmiş amatörler. Yalnızca doğru zamanda doğru yerdelerdi." Omuzları düştü. "Bazılarımızın aksine…"

Tony'nin yeniden bir araya gelmesi gibi zorlu bir konuyu açmak için biraz erken olduğundan, konuşmaya devam etmek için, "Herkes nerede?" diye sordum.

Babam kızarmış gözlerle bana baktı. "Gittiler evlat." Yeniden divana çöktü.

"Gittiler ne demek?"

"Yani tam olarak gitti sayılmazlar," diye mırıldandı. "Annen Robbie ile biraz zaman geçirmek istediğine karar vermiş; bir yerlere tatile gittiler. Kendime çekidüzen vermem gerektiğini söylüyor." Sanki şimdilik çekidüzen verme işinin pek de iyi gitmediğini onaylarmış gibi mahzun bir şekilde odada göz gezdirdi. "Artık alışverişi kendim yapıyorum," dedi. "Haftada bir kere markete gidiyor, birkaç dondurulmuş hazır yemek alıp içki stokumu tazeliyorum." Beni suçlarmışçasına bir bakış attı. "Bu bir başlangıç sayılır, öyle değil mi?"

Başımla onayladım. "Peki ya Kirsty?"

"Çoğu zaman Gary'nin yanında kalıyor." Bir sigara yaktı ve yoğun bir duman bulutu üfledi. "Aşkından gözü hiçbir şey görmüyor kızın."

"Belki de iyi bir çift olmuşlardır," dedim.

"Bak sana ne diyeceğim evlat." Pek de sabit tutamadığı parmağı ile beni işaret etti. "Burada böyle mantıklı düşünce yapısına muhtaç kalmışız. Eğer sen burada olmuş olsaydın, bunların hiçbiri başımıza gelmezdi."

Alçakgönüllülükle omuzlarımı silktim.

"Yani artık sadece ikimiz varız."

Ah. Çaktırmadan biraz irkilmiştim. "Biraz etrafı toplasak iyi olacak galiba," dedim.

"Yarın yapsak?.."

"Şimdi baba."

Ev temizliğini geçin. Bilmek istemezsiniz. Ne kolay ne de eğlenceliydi. Babam o kadar çok yakınıyordu ki bir noktada ona, batan bir gemiyi terk eden fareler gibi evden kaçıp gitmeleri konusunda aile üyelerini kesinlikle suçlamadığımı söyledim.

Birkaç saat sonra temizliği bitirdik. Bu yer yine de hiçbir zaman için Yılın Yuvası Yarışması'na katılamayacaktı; ama en azından artık halı görünüyordu, tabaklar temizdi ve buzdolabında duran yarısı yenmiş börek dışında, çoğu küflenmiş yiyecekler çöpe gitmişti.

Bitkin bir şekilde divana oturup 1980'lerden bir Amerikan dedektiflik dizisini yarım gözle seyretmeye koyulduk. Geçen yıllar içinde, babamla sohbet etmenin en iyi yolunun önümüzdeki televizyona bakarken konuşmak olduğunu keşfetmiştim; ekrandan sekip gelen sözler ona daha anlamlı geliyor gibiydi. Bundan dolayı hemen konuya daldım.

"Grubu tekrar toplamayı düşünür müydün?" Büyük soruyu sanki normal bir şeymiş gibi sormak için elimden geleni yapmıştım.

"Hayır." Babamın cevabı çabuktu ve otomatiğe bağlanmış gibiydi. "Diğer üç eleman bana bu soruyu her sene soruyorlar. Kimse beni bir daha tur otobüsüne bindiremez."

"Peki ya sadece bir konser için? Yardım amaçlı."

Hayır anlamında başını salladı. "O yardım konserleri, plak şirketlerinin müzisyenleri kazıklamak için kullandığı yöntemlerden bir tanesi sadece."

Bir iki dakika boyunca televizyondaki dedektifin işini yapmasını seyrettik.

"Bu kraliyet galası için Tony harika bir seçim olurdu. Yeniden büyük yıldızlarla aynı sahneyi paylaşırdın. Senin ve grubun için iyi olurdu, hem de –duraksadım– benim için, Rafiq ve yaptığı televizyon sahtekârlığından intikam alma şansı doğardı. Böylelikle bu konser öyle ya da böyle işe yaramış olurdu."

Sigarasından süzülen dumanın içinden bana baktı. "Bu senin o fiyakalı arkadaşlarının işi, öyle değil mi?"

"Konser onların," dedim. "Senin o konserde çalman fikriyse benim."

"Sahi mi?" Acı acı güldü. "Hayat senin düşündüğün gibi değil evlat."

"Buckingham Sarayı'nda gerçekleşecek," dedim. "Kraliçe ile tanışabilirdin."

Ona Kraliçe'den bahsetmek kötü bir fikirdi.

"Buraya kadar dostum," dedi. "Ben cumhuriyetçiyim. Hem de doğma büyüme…"

"Peki ya hayranların? Çocuklar için bağış toplamak? Harika olabilir baba!"

Önüne bakıyordu. Televizyonda olan bitenin ilgisini çektiği belliydi.

Son kozumu oynamamın zamanı gelmişti.

"Eğer bunu yapmazsan, korktuğun için yapmadığını anlayacağım."

Yüzü karardı.

"Ve…" Sesim alçak ve kararlı çıkıyordu, "buraya asla ger gelmeyeceğim."

Bana baktı. "Hey, evlat." Sesinde yalvaran bir ton vardı. "Bana bunu yapma."

Bir dakika geçti. Sonra bir dakika daha… Babamın yüzüne tanıdık bir ifade –aksi, perişan, dış dünyaya kapalı– yerleşmişti.

"Bu durumdan kurtulmalısın baba." Yüzünün yanına sertçe bakarken bir yandan da alçak sesle konuşuyordum.

"Herkesi –annemi, plak şirketlerini, belediye meclisini, Kirsty'yi, beni, sağlığını– suçlu bulmaya öylesine alıştın ki sana yardım edebilecek bir tek kişi olduğunu unuttun: O da sensin.

Babam sırıttı ve yavaşça, *"Hayat, başka planlar yaparken başına gelen şeydir,"* diye şarkı söylemeye başladı. Yeni uyanmış rolü yapan bir aktör gibi kollarını başının üzerinde gerdi.

"Bunu John Lennon yazmış. Belki de yeni bir şarkı için harika bir fikir olabilir. Evet evet, adı da 'The Rip Van Winkle Blues' olsun. Ben de yüz yıl boyunca uyuyan o moruk gibi olurum. Evet, bu harika. 'Yıllar' ve 'ağlar' kelimeleri de kafiyeli ve…"

"Hayır baba," dedim sessizce, "bir türlü tamamlanmayan şarkılarından birinin sırası değil. Artık bir şeyler yapma zamanı."

Babam tekrardan her zaman aldığı o ifadesiz gözlerle televizyon seyretme pozisyonuna gömüldü.

"Diğer grup elemanlarının nerede olduklarını biliyor musun?" diye sordum.

Bir süre düşündükten sonra kalktı ve eski plaklarının durduğu, odanın öbür ucundaki rafa doğru yürüdü. Bir süre plaklara göz gezdirdikten sonra aralarından kahverengi, büyük bir zarf çıkardı. Geri dönüp zarfı bana uzattı ve tekrardan televizyon izlemeye koyuldu.

Zarfın içinde bir sürü kâğıt vardı. Her birinin üzerinde 'Resmi Tony Fanzini' başlığı vardı.

"Bunlar ayda bir kere geliyor," dedi. "Her zamanki saçmalıklar işte, ama böylece diğer çocukların neler yaptığına dair bilgi sahibi oluyorum."

En son çıkan *Resmi Tony Fanzini*'nin arka sayfasını çevirdim. 'Konser rehberi: Bizimkiler bu ay nerede çalıyorlar?' başlığı altında her grup üyesi için bir bölüm vardı: solo gitarda Lev, bas gitarda Tommy ve bateride Spike. Artık pek de çocuk sayılmazlardı ve hepsinin de ismini hiç duymadığım başka grupları vardı. Sayfanın altında küçük harflerle 'Dave Bell artık müzik piyasasında değildir' yazılıydı.

"Eğer ortada bir Tony Fanzini varsa birileri grubun diğer üç üyesine nasıl ulaşılacağını biliyordur."

Babam omuz silkti.

Tony Hayran Kulübü'nün resmi sekreteri olan Cath Bevan'ın ismini bulmam hiç de zor olmadı. İsminin altında Northhampton'da bulunan bir adres, elektronik posta detayları ve bir de telefon numarası vardı.

Babamın üzerinden uzanıp telefonu aldım. "Ne diyorsun?" dedim.

Cevap gelmedi.

"Kendini kurtarmak konulu bir şarkı mı yazacaksın, yoksa gerçekten kendini kurtaracak mısın?"

Bana döndü. "Bana yardım edecek misin Danny?"

"Elimden geleni yaparım. Ama bu senin hayatın."

Başını eğdi.

Fikrini değiştirmesine fırsat kalmadan numarayı çevirdim. Telefonu açan adama Cath Bevan'ı sordum. Arkadan bir eve ait olduğu belli olan sesler –televizyon, küçük çocukların konuşmaları– geliyordu; az sonra da Cath Bevan telefonu aldı.

"Resmi Tony Hayran Kulübü Sekreteri Cath Bevan ile mi görüşüyorum?"

"Evet benim."

"Yanımda sizinle konuşmak isteyen biri var." Telefonu babama verdim.

"Ben Dave Bell," dedi. "Bizimkilerle irtibata geçmek istiyorum. Vermemiz gereken bir konser var."

25. RÖPORTAJ: Lev Williamson, Tommy Bruce, Spike Farlowe

LEV: *Hiç beklenmedik bir şekilde –bam!– sanki hiçbir şey olmamış gibi, Dave Bell ortaya çıkıyor ve sırayla hepimize telefon açıyor.*

TOMMY: *Biz de, hey Dave, eski dostum, sakin ol bakalım, diyoruz. İyi hoş da son on yıldır bizimle bir tek kelime bile etmek istemiyordun. Şimdi aniden mahallenizin sevecen rock yıldızı Bay Ilımlı'ya dönüşüverdin.*

SPIKE: *Rock yıldızı, evet.*

LEV: Biz Dave'i, Ortadan Kaybolmuş Ünlü Rock Müzisyenleri Müzesi'ne yerleştirmiştik bile. Liste, Cat Stevens, Peter Green, Jimmy Page ve Dave Bell şeklinde gidiyordu.

TOMMY: Tabi o aradığında bunu yüzüne söylemedik. Ben düşünceli ve kibar davrandım. "Kafayı üşüttüğünü duydum dostum," dedim. "Altını ıslatmadan evden dışarı adım atamadığını söylüyorlar."

SPIKE: Oldukça ıslak, doğru.

TOMMY: Sonra bana bir sürü mazeret saymaya başladı: "Tommy, bazı ailevi problemlerim oldu, parasal sorunlar, vıdı vıdı vıdı..." Ben de bütün bunların Dave Bell Kafayı Üşüttü Vakfı'na bağış istemek için bir ön konuşma olduğunu düşündüm, ama değilmiş.

SPIKE: Alakası yokmuş.

TOMMY: Bir yardım konseri yapılacağını, Tony'nin eski şıklığına bürünüp eski günlerden bir rock rüzgârı estirmek istediklerini söylüyor.

LEV: Biz de şaşkına dönüyoruz tabi. Bu, biz beraberce turneye çıkmak istediğimizde telefonlarımıza cevap vermeyen, eğer kendisi grupta değilse diğer üyelerin grubun ismini kullanmasına bile karşı çıkan Dave Bell ile aynı kişi mi?

SPIKE: Aynı, evet.

TOMMY: *Her neyse, biz meşgulüz. Programımız falan var, değil mi?*

LEV: *Öyle. Ama Tommy ve Spike ile konuşuyorum ve benim evimde toplanıp bu işi etraflıca konuşmaya karar veriyoruz. Her zaman açık görüşlü olmalı, öyle değil mi?*

SPIKE: *Açık görüşler. İşte bütün mesele bu.*

TOMMY: *Geleceğini zannetmiyorduk. Ama geldi. Yaklaşık bir milyon yaşında görünüyordu; ama Lev'in Gibson'ını eline alınca sanki bir anda zamanda yolculuk yapmışız gibi oldu. Hep beraber yirmi yıl geriye gittik.*

LEV: *İşte her şey böyle başladı.*

TOMMY: *Tony'nin tarihi buluşması…*

SPIKE: *Evet, başladı. Tarihiydi, kesinlikle…*

HARİKA, MÜTHİŞ VE ÜNLÜ OLMAK

Babamın evden çıkıp, yolun sonuna gidip, önce otobüse, sonra da trene binip, Güney Londra'nın, Lev Williams'ın yaşadığı kısmına varıp, eline bir gitar alıp, efsanevi Tony'nin vokalisti ve ritim gitaristi olarak insan ırkına yeniden nasıl karıştığını hiçbir zaman anlayamadım.

Yıllarca süren karanlıktan sonra gözlerine ışığın geri gelmesine, eski dostlarıyla şakalaşırken attığı kahkahalara, müziğin onun donmuş hatıralarını çözmesine ve eski Dave Bell'i ortaya çıkarmasına şahit olmak isterdim.

Müthiş bir televizyon belgeseli olurdu doğrusu.

Daha sonraları babam gazete röportajlarından birinde benim için, "Kafamı toplamamda büyük payı var," diyecekti; ama doğrusu şu ki, Tony'nin aynı zamanda menajerliğini de yapan başçısı Tommy Bruce olmasaydı bunların hiçbiri olmayacaktı.

Geoffrey Sheridan'ın sahibi olduğu Sheridan Yapımcılık'ı arayan da, grubun tekrar birleşmek için bir konser vermeye hazır olduğunu duyuran da, bu konserden alacakları parayı dünya çocukları yararına bağışlamayı kabul eden –ve babamı küplere bindiren– de oydu.

Ama şimdi ortada ufak bir sürpriz vardı. Yeni babam, galadan bir gün önce eve gelip yemek odasındaki masanın etrafında oturan bizlere, sahneye çıkacak son grubun belli olduğunu, bu grubun da meşhur Tony olduğunu söylediğinde pek de keyifli görünmüyordu.

Yeni annem, "Tony'yi hatırlıyorum," diye şakıdı. "Benim en sevdiğim gruplardan biriydi."

Sör Geoffrey taşlaşmış gibi önüne bakıyordu. "Bazı şüphelerim var, ama görünüşe göre oldukça fazla hayrana sahipler. İnsanlar çok zevksiz olabiliyorlar, değil mi?"

Maddy bana doğru gülümseyerek, "Son derece iyi olduklarını duymuştum," dedi.

26. RÖPORTAJ: Rafiq Asmal

RAFIQ: *Tamam, Danny'nin bir rock dinozoru olan babası grubunu toplayıp tekrar çalışmaya başladığında hepimiz şaşırmıştık. Araştırmacılarımız önüne koyduğumuz bu zor hedefe kesinlikle ulaşamayacağını söylüyorlardı; tabi bu da Danny'nin hayatı konusunda vereceği son kararı daha da ilginç hale getiriyordu.*

RÖPORTAJCI: *Tony'nin gala konserinde çalacağını duyduğunuzda işleri oluruna mı bıraktınız?*

RAFIQ: *Tabi ki hayır. Bu oyunda işleri şansa bırakırsanız her şey olabilir. Her şey bir...*

RÖPORTAJCI: *Film gibi miydi?*

RAFIQ: *Çok komik. Eğer belgesellerden anlıyorsanız, iki tür gerçeklik olduğunu bilirsiniz. Birincisi gerçek gerçekliktir; yani her gün meydana gelen sıkıcı olaylar. İkincisiyse televizyon gerçekliğidir ve biraz yardıma, şekillendirilmeye ihtiyacı vardır. Bu yüzden de —kontrolün Danny'nin değil, bizim elimizde olduğundan emin olmak için— senaryoyu azıcık değiştirmek zorunda kaldık.*

RÖPORTAJCI: *Danny'nin kontrolü eline alması ihtimali sizi endişelendiriyor muydu?*

RAFIQ: *Yapım ekibinden bazıları, Danny'nin her zaman bir adım öndeymiş gibi görünmesinden kaygılanmışlardı; sanki artık olan biten her şeyin farkındaymış gibiydi. Biz böyle bir riskin var olduğunun farkındaydık, çünkü her ne kadar bu programa katılan yetişkinlere, olan biteni gizli tutmaya zorlayacak bir anlaşma imzalatmış olsak da çocuklar üzerinde yasal hiçbir kontrolümüz yoktu. Hepsine —Harrison'ların ufaklığına ve ikizlere de— Danny'nin olup bitenden haberi olmamasının son derece önemli olduğunu söyledik. Eğer içlerinden bir tanesi ağzından bir şeyler kaçırsaydı çok büyük bir hayal kırıklığına uğramış olacaktık. Bu durum şovumuzun ruhuna aykırı olurdu.*

RÖPORTAJCI: *Ama Bay ve Bayan Bell herhangi bir anlaşma imzalamamışlardı, öyle değil mi?*

RAFIQ: *Bu riski almaya karar verdik. AileniSeç belgeseli hakkında en ufak bir fikir sahibi bile olmamaları gerekiyordu. Çekimlerin sonunda, Danny'ye ne olursa olsun, onlara ciddi bir teklif sunmayı düşünüyorduk. Paranın miktarı yeterli olduğu takdirde Dave ve Paula'nın noktalı kısmı imzalayacaklarına emindik.*

RÖPORTAJCI: *Yani bu noktada her şey planlara uygun gidiyordu.*

RAFIQ: *Evet. Danny konserden önceki birkaç günlük zaman diliminde pek çok kez bana telefon açtı; sesi gerçekten de heyecanlı geliyordu. Yeniden oyunu bizim istediğimiz şekilde oynamaya başladığına ikna olmuştum.*

RÖPORTAJCI: *Peki ne istiyordu?*

RAFIQ: *Konser için bilet. Arkadaşı Rick Chancellor ve annesinin orada olmalarını istiyordu. Bir de Maddy'nin annesi Bayan Nesbitt'in ve hatta Harrison'ların da... Yardımcı olamadığım yalnızca bir isteği vardı. Danny'nin annesi Paula Bell ve küçük kardeşi Robbie ortadan kaybolmuşlardı. Nerede oldukları hakkında hiçbir bilgimiz yoktu.*

Bir normal zaman, bir de şöhretlerin zamanı vardır. Eğer siz de ünlü biriyseniz, dünyanın geri kalanının uğraştığı gündelik, sıradan işlerinizi adamlarınıza yaptırır, böylece hayattan bir tür sıcaklık ve rahatlık bulutu üzerinde süzülerek geçebilirsiniz. Hiçbir zaman sıraya girmek, trene yetişmek ya da bir yere zamanında varmak zorunda kalmazsınız. Bunları sizin için başkaları halleder. Sizin göreviniz sadece harika, müthiş ve ünlü olmaktır.

Özgür dünyaya yaptığım ziyaretle saraydaki gala arasındaki iki hafta boyunca Maddy, Zak ve Gemma ile birlikte o şöhret bulutu tarafından sarmalanmıştım. Kot giyen ve ellerinde klasörler taşıyan meşgul görünümlü kadınlar, evde daha fazla zaman harcamaya başlayan Sör Geoffrey'den en son direktifleri almak için koşuşturuyorlardı. Arada sırada Simon Brayfield, Flavia ile sohbet etmek maksadıyla uğruyordu.

Ama bütün bunlar yetişkinlerin işleriydi. Çocukların göreviyse eğlenmekti. Saraydaki galaya davet edilmiştik. Galanın nasıl organize edileceği –tüm o küçük sorunlar, karmaşalar ve sıkıntılar– bizim küçük kafalarımızı yormamızı gerektiren bir sorun değildi.

Ama tabi ki benim de kendi endişelerim vardı. Rafiq ona telefon açtığımda arkadaşlarıma gala biletleri dağıtıyor olmamdan çok mutlu görünmüştü, ama daha sonra kötü haberi verdi. Annem ve Robbie'nin nereye gittiğini kimse bilmiyordu. Babamın büyük gecesinde orada olmazlarsa bu işin bütün anlamı kaybolacaktı. Hiç uğraşmasam daha iyiydi.

Konsere iki gün kalmıştı ki gecenin bir saatinde, cep telefonumla Rick'i aradım. Saat on biri geçmesine rağmen

hâlâ yeni bir resim üzerinde çalışmakta olan ve sesi olduk-
ça uyanık gelen Rick, aramama şaşırmamışa benziyordu.

Bir dakikalık bir zaman dilimi içinde ona yıldızlar ara-
sındaki yaşantımı, babamı evden çıkartıp müzik dünyasına
geri döndürüşümü, birkaç gün içerisinde kraliyet ailesi ile
beraber vakit geçirecek oluşumu anlattım.

"Evet," dedi. "AileniSeç ofisinden bir telefon geldi. An-
nem saraya gideceği için çok heyecanlı."

"Peki ya sen?"

Sessizlik oldu. Sonra da pek de hevesli olmayan bir ses-
le, "Ben de orada olacağım," dedi.

Sesindeki soğukluğa şaşırarak, onu kızdıran bir şey olup
olmadığını sordum.

"Hayır," dedi. "Sadece annem kötü bir dönemden geçi-
yor. Kafayı çekmesini engellemeye çalışmaktan evden dı-
şarı çıkamıyorum." Acı acı güldü. "Bu taraflarda yıldızlara
ve gala gecelerine ayıracak pek zaman yok. O yüzden ben-
den rica edeceğin şeyden bahset."

"Rica?"

"Etmek için aradığın, ama utandığın için bir türlü sırası
gelmeyen şey. Haksız mıyım?"

Ona sesini duymanın güzel olduğunu, onunla görüşe-
miyor olmanın tuhaf geldiğini söylemek istiyordum; ama
bunlar için daha sonra çok zaman olacaktı.

"Annemi bulmanı istiyorum," dedim.

Eski dostum Rick'in onu bir şekilde terk ettiğimi düşünmesi yeteri kadar kötü değilmiş gibi, o gece bir sürprizle daha karşılaştım. Bu, Kate Harrison'dan gelen bir mesajdı:

Babana tzk hazrlyrlr. Bizmklr konşrkn duydm. Blmn grktiğni düşndm.

Kate

27. RÖPORTAJ: Dave Bell

DAVE: *Evlat beni konserden birkaç gün önce aradı. Sesi garip geliyordu; sanki bir şeylerin ters gideceğine emin gibiydi. Hangi şarkıları çalacağımızı öğrenmek istedi ve durmadan buna benzer sorular sordu.*

RÖPORTAJCI: *Peki ona ne dediniz?*

DAVE: *Yaşlı babasına biraz güvenmesini söyledim.*

KRALİYET AİLESİ ÜYELERİ

Kraliçe ile tanışacağım ve ailemin hayatını değiştireceğim günün sabahıydı. Saatler on biri gösteriyordu.

Şoför üniforması ve bir şapka giymiş olan John tarafından kullanılan Rolls Royce, ön kapıda park edilmiş halde duruyordu. Birinci kat pencerelerinin birinden aşağıya baktım; bir anda kendimi yalnız hissetmiştim. Maddy merdivenlerde Zak ve Gemma ile konuşuyordu; iyi giyimli, kendine güvenen, kendileri ve dünyaları ile barışık üç çocuk vardı karşımda.

Merdivenlerin başında Flavia de Sanchez ve Sör Geoffrey Sheridan belirdi. Sör Geoffrey daha iri ve güçlü görünüyordu. Flavia ise kendisine –saçına, yüzüne ya da giyim tarzına– öyle bir şey yapmıştı ki film yıldızlarında görülen gerçeküstü, akıl almaz bir güzelliğe bürünmüştü.

Yeni babam saatine baktı ve yeni anneme bir şeyler fısıldadı. Büyük ihtimalle, "Bu oğlan nerede kaldı?" diyordu.

Aşağıya inmek için arkamı döndüğüm sırada koridordaki aynalardan birinde kendi görüntümle karşılaştım. Saçım geçen birkaç hafta içerisinde uzamış –henüz Zak'ın sahip olduğu 'süpürge saçlı öğrenci' şeklini almamış olsa da– daha önce görmediğim bir parlaklık, bir ağırlık kazanmıştı.

Gala için bize yeni kıyafetler vermişlerdi. Düzgün, modaya uygun ve kaba bir renk uyumsuzluğu bulunmayan bu yeni görüntüm bana yakışmış, beni küçük bir Sheridan haline getirmişti.

Ama bakışlarım değişmemişti; Danny'nin çelik gibi bakışları hâlâ yerinde duruyordu. Sanırım Sör Geoffrey Sheridan bana baktığında gördüğü şey buydu ve bu pek de hoşuna gitmemişti.

Yavaşça ve havalı bir şekilde aşağıya indim. Kraliyet ailesi bizi bekliyor, dünyanın en ünlü rock yıldızlarından bazıları bize şarkı söylemek için hazırlanıyor olabilirdi. Ama bugün beni hiç kimse korkutamayacaktı; hele Sör Geoffrey Sheridan hiç!..

Rolls Royce'da yeni anne ve babamın arasına oturmuştum. Zak, Gemma ve Maddy ise karşımda oturuyorlardı. Bu yer düzeni tesadüfî değildi tabi ki. Bu televizyon oyununa alışıyordum ve artık tecrübe sahibi olan gözlerim, şoför John ile arka koltuk arasındaki camdan bölmenin hemen üzerindeki küçük kamerayı buluvermişti. Kameraya göz kırptım.

"Geoffrey, hayatım," Araba yola koyulurken annem de benim üzerimden konuşuyordu, "belki de çocuklara sarayda neler olacağını anlatmalısın."

Sağ tarafımda oturan Sör Geoffrey tüm ağırlığıyla kıpırdadı. "Her şey son derece basit," dedi. "Oraya vardığımızda büyükelçiler, politikacılar, film yıldızları ve buna benzer bazı konuklar için verilecek kabul töreninde kraliyet ailesi üyeleri ile tanışacağız."

Maddy, "Kraliçe ile de tanışacak mıyız?" diye sordu.

"Kraliçe Hazretleri de varlıklarıyla bizi şereflendiriyor olacaklar." Sör Geoffrey, sanki arkadaşıma bakmak kendisi kadar önemli biri için çok çaba gerektiriyormuşçasına camdan dışarıya bakmaya devam etti. "Ama küçük çocuklar ile konuşacak kadar zamanı olacağını sanmıyorum."

Flavia de Sanchez, "Onunla karşılaştığınızda başınızı hafifçe öne eğin. Ve eğer sizle konuşursa…"

"Sanmıyorum," dedi Sör Geoffrey.

"O zaman ona 'saygıdeğer madam' diye hitap etmelisiniz."

"Saygıdeğer madam?" Gemma güldü. "Neden sadece 'madam' değil?"

"Çünkü o Kraliçe de ondan." Flavia dudaklarını büktü. "Ayrıca ona soru sormak da kabalık sayılır. Sadece şirin bir 'evet madam' ya da 'hayır madam' yeterli olacaktır."

"Madammış." Maddy alçak sesle konuşuyordu. "Eminim ki ona 'kraliçecik' ya da buna benzer bir şekilde hitap edeceğim."

Flavia yavaşça elini koluma koydu. "Sabırsızlanıyor musun? Bu senin için büyük bir değişiklik olacak."

Kısacık bir an için merakının gerçek olduğunu düşündüm. Ama sonra Flavia'nın bir aktris olduğunu ve her hareketimizin, konuştuğumuz her kelimenin kaydedildiğini hatırladım. Bütün bunlar kamera içindi.

"Bugün gerçekten de ilginç olabilir," dedim.

28. RÖPORTAJ: Flavia de Sanchez

FLAVIA: *Şimdiye kadar birçok harikulade etkinliğe katıldığım için kendimi çok şanslı bulmuşumdur. Ama hiçbiri bu kadar sıra dışı olmamıştı.*

RÖPORTAJCI: *Danny'nin başrolünü oynadığı belgeselin düğüm noktası olması yüzünden mi böyleydi sizce?*

FLAVIA: *Beni bağışlayın, ama saray galasının yıldızı Danny değildi. Dünyanın en ünlü rock yıldızlarından bazıları sahnedeydi. Onları sahneye davet eden sunucular da çok ünlü kişilerdi. Bir de oldukça önemli organizatörler, kocam...*

RÖPORTAJCI: *Siz.*

FLAVIA: *Çok naziksiniz, ama hayranları aktris Flavia de Sanchez'i başka zamanlarda da görebilirlerdi. Bugün ben sadece sıradan biriydim: Bir eş, bir anne, kraliyet ailesinin çok yakın bir dostuydum. Bütün bu Danny Bell olayının tek önemi, dünyaya çok gerçek ve önemli bir mesaj vermiş olmasıydı.*

RÖPORTAJCI: *Peki mesaj neydi?*

FLAVIA: *Bir insanın yapabileceği en önemli şey vermektir. Bir tarafta her şeyi –para, başarı, belki biraz da yetenek– olan bizler varken, diğer tarafta ise küçük ve fakir bir çocuk olan Danny duruyordu. Biz dünyaya, 'Biz uzanıp sıradan, imkânları az olan bir çocuğa dokunabiliyor, hayatına birazcık sihir katabiliyoruz. Bunu sizler de yapabilirsiniz. Eğer biz topluma geri verebiliyorsak, belki de siz de denemelisiniz. Sonuçta hepimiz insanız. Biraz daha özen gösterirsek bu dünya çok daha iyi bir yer olabilir' mesajı veriyorduk.*

RÖPORTAJCI: *Ne kadar da etkileyici.*

FLAVIA: *Teşekkürler. Bunu filmde mutlaka kullanın.*

Rolls Royce saray kapılarına yaklaşınca bir an yavaşladı, sonra içeri süzüldü. Her iki kapı tarafında da turistler parmaklıkların ardından bakıyorlar, karartılmış camların arkasında oturan bizleri görmeye çalışıyorlardı. Kemerli bir yoldan geçip merdivenlerin önünde durduk.

Yeşil renkteki şık üniformasıyla bir adam gelip Flavia de Sanchez'in tarafındaki kapıyı açtı. Flavia da en güzel gülüşüyle arabadan indi. Arkasından da yeni babam, ikizler, Maddy ve ben çıktık. O sırada da yakasız takım elbisesiyle Simon Brayfield karizmatik bir papaz gibi merdivenin tepesinde belirdi; sanki Buckingham Sarayı'nda yaşıyormuş gibi gülümsüyordu. Aşağıya inip Flavia'yı öptü, Sör Geoffrey'e sarıldı, bize doğru dönüp bir şeyler söyledi ve sonra da hepimize sarayın içine kadar refakat etti.

Yüksek tavanlı devasa bir salondan geçtik ve sonundan parti sohbetinin uğultusu gelen bir koridorda yürüdük.

Işığa ve gürültüye doğru yürürken Maddy ışıltılı gözlerle bana baktı ve ağzından, "Çıkarın beni buradan," kelimeleri döküldü.

Anne tavuğun peşinden koşan civcivler gibi Flavia'yı takip ederek kalabalığa karıştık. Buradakiler, galaya davet edilen misafirler arasından Buckingham Sarayı'nda bir kadeh şampanya içebilmek için biraz daha fazla ödeyen –bilet başına 5000, 10.000 sterlin, kimin umurundaydı ki– insanlardı.

Ünlü yıldızlardan birkaçı buradaydı; ama kalabalığın çoğunluğunu ünlü olmak üzere olanlar, ünlü olmak isteyenler ve ünlülerle aynı odada bulunmanın onları belki biraz daha ünlü yapacağını düşünenler oluşturuyordu.

Tam ben bu sürekli anırmakta olan yetişkin sürüsü içerisinde kiminle konuşacağımızı düşünürken birinin arkamdan bana adımla seslendiğini fark ettim.

"Saraya hoş geldin Danny," diyordu bu ses. "White City'ye pek benzemiyor, değil mi?"

Başımı çevirdiğimde karşımda, yüzünde kocaman bir sırıtışla Rafıq duruyordu.

29. RÖPORTAJ: Rafiq Asmal

RAFIQ: *O an mutluydum. Bu proje, her an tersliklerin yaşanabileceği, riskli bir projeydi. Aile seçmesi için bulduğumuz çocuk yanlış tercih olabilirdi. Yaptıklarımız ona ağır gelebilir, biraz fazla üzebilirdi ve bu da izlenme oranlarımız açısından felaket demekti. İnanın bana, ağlayan bir çocuk kötü televizyonculuk demektir. Hiç kimse kolunun kanadının kırılmasını istemez. Bugünlerde huzur veren, pozitif şeyler moda.*

RÖPORTAJCI: *Saraydaki gala ne yönden huzur verici ve pozitif olacaktı?*

RAFIQ: *Ünlü yıldızlar vardı. Müzik vardı. Kraliyet vardı. Yardım vardı. Ve bütün bunlar yalnızca arka plandı! Olayların doruk noktasında Danny'nin eski ailesine yeni bir gözle bakışına tanık olacaktık. Onları aslında oldukları gibi görecekti.*

RÖPORTAJCI: *Yani?..*

RAFIQ: *Pek de harika olmadıklarını anlayacaktı. Ama işte o zaman, hayal kırıklığı yaşadıktan sonra, Danny'nin yeni ailesi Geoff ve Flavia'nın, başardıklarından son derece etkilenip mutlu sona ulaştığı an gelecekti. Bu sadece para ile ilgili değil. Ümit bu. Pozitif enerji bu. Hayat bu. Ve eğer doğru seçim yapıp ailesini değiştirmeyi kabul ettiği takdirde bu onun gelecekte paylaşabileceği bir şey olacaktı.*

RÖPORTAJCI: *Peki sarayın içindeyken de çekim yapabiliyor muydunuz?*

RAFIQ: *Tabi ki, bu bizim için sorun olmadı. Sarayın basın bürosunda çalışan bir tanıdıkla zamanında AileniSeç konusunu enine boyuna konuşmuştuk. Sonradan kraliyet ailesinin de AileniSeç projesine son derece olumlu baktığı ve bu programın bir parçası olmanın imajlarına yardımcı olacağını düşündüğü ortaya çıktı.*

RÖPORTAJCI: *Toplu konutlardan saltanata. Kusursuz bir plan.*

RAFIQ: *Hem de nasıl! Yılın en mükemmel, en orijinal ve en dokunaklı televizyon belgeseli ödülünü kazandığım zaman söyleyeceklerimi hazırlamaya başlamıştım bile. Tek ihtiyacımız olan şey, Danny'nin üzerine düşeni yapmasıydı.*

Bazı insanlar etraflarında bir sürü insan olduğu zaman daha fazla kendileri olurlar. Bir partideyken daha yüksek sesli, daha iri ve daha renkli görünürler. Bana ise tam tersi olur.

Rafiq'in sanki bütün planları yolunda gitmiş gibi durması beni kızdırmıştı. Salonda gördüğü bazı insanlar hakkında konuşurken –anlamı olan kelimelerden çok parti gürültüsü geliyordu– çevreme baktım.

İşte oradaydılar. Kalabalığın çeperinde iki kameraman sinsi sinsi dolaşıyordu. Odanın yüksek köşelerinden birinde ise başka bir aygıt vardı. Güvenlik için olabilirdi, ama televizyon programı için yüksek açıdan çekim yapan bir kamera olması daha büyük olasılıktı.

Havadan sudan konuşurmuş gibi, "Sarayda kameralara izin verilmesi şaşırtıcı," dedim.

Rafiq'in yüzüne sert ve savunmacı bir bakış oturdu.

"Televizyon galasının gerektirdiği şeylerden biri de bu," dedi. "Kameralar."

"Öyleyse neden her ikisi de bizim olduğumuz yöne çevrili durumda?"

Rafiq'in gülüşü hiç de inandırıcı değildi.

"Kalabalığın bir görüntüsünü alıyorlar sanırım. Televizyon işi hakkında fazla bir şey bildiğim söylenemez."

Başka rahatsız edici sorular sormama fırsat vermeden uzaklaşıp kalabalığa karıştı.

Bizimkileri bulmak için etrafıma bakındım. Zak ve Gemma, bir televizyon yarışmasının eski sunucusu olduğunu hayal meyal hatırladığım bir kadının yanında duran kendi yaşlarındaki birkaç çocukla konuşuyorlardı. Ben tam Maddy'nin nereye kaybolduğunu düşünürken bir anda etraf kapkaranlık oldu.

Bir an, gözlerim iki el tarafından kapatılmış bir şekilde aptal gibi kalakaldım.

Arkamdan gelen kısık bir ses, "Bil bakalım ben kimim?" dedi.

Arkamı döndüğümde kendimi Bayan Nesbitt'e bakarken buldum. Maddy de yanında durmuş, annesinin elini tutuyordu.

"Şu işe bak! Hepimiz birden saraydayız. Bu harika değil mi?" Maddy'nin annesi son derece mutlu bir şekilde cıyaklıyordu. "Bakalım Flavia nerede. Onunla mutlaka tanışmam lazım hayatım. Öyle çok ortak yanımız var ki."

Daha cevap vermeye fırsat kalmadan Simon Brayfield yanımızda belirdi. Bayan Nesbitt'i görmezden gelerek ben ve Maddy ile konuşmaya başladı:

"Yerlerinizi almanın zamanı geldi."

Maddy'nin annesi, "Ben Cora Nesbitt," dedi. "Ben bir aktrisim ve bu aralar üzerinde çalıştığım…"

"Belki sonra," dedi Brayfield, kadına doğru ölümcül bir bakış fırlatarak. "Bu ikisine şimdi ihtiyacımız var."

Bayan Nesbitt, "Gösteriden sonra hep beraber bir içki içseydik?" dedi sesi titreyerek.

Brayfield, arkasında ben ve Maddy, uzaklaşmaya başlamıştı bile.

Bayan Nesbitt arkamızdan, "Affedersiniz," diye bağırdı, "ben Maddy'nin annesi oluyorum. Kızımın nerede oturduğunu bilmem gerek."

Brayfield duraksadı, sonra da yavaşça arkasını döndü. Sıkıldığını belli eden bir ses ile, "Kraliyet locasına bakın," dedi.

30. RÖPORTAJ: *Andrew Montgomery,*
kraliyet ailesinin basın sözcüsü

BAY MONTGOMERY: *Size Kraliçe Hazretleri ve Prens Philip'in, aile hayatını konu alan bir belgesel yapıldığının farkında olduklarını ve Buckingham Sarayı'na belirli sayıda kamera alınmasını bir lütufta bulunarak kabul ettiklerini söyleyebilirim.*

RÖPORTAJCI: *Peki ya...*

BAY MONTGOMERY: *Bunun dışında başka bir açıklama yapmaya yetkim yok.*

Sanki üzerimize sihirli bir saltanat tozu serpilmiş ve oradaki herkes bizim nereye gittiğimizi biliyormuş gibi, davetlilerin arasından geçip salondan dışarı çıkarken bütün kafalar bize çevrilmişti.

Sör Geoffrey, Flavia ve ikizler yanlarında üniformalı bir uşakla bekliyorlardı. Yeni babama doğru bir bakış, bekletilmiş olmaktan pek de memnun olmadığını anlamak için yeterliydi.

"Gelebildiğinize sevindim," diye homurdandı.

Bir kameramanın arkamızdaki kalabalıktan sıyrıldığını görünce Sör Geoffrey'e gülümsedim. Neşeli bir şekilde, "Yıldızlarla sohbet ediyorduk, nasıl olduğunu siz de bilirsiniz," dedim.

Sessizce uşağı takip ederek sarayın koridorlarında yürüdük. Özel bir bölümmüş gibi görünen yerden geçtikten sonra dışarı çıktık ve üstü kapalı bir geçitten bahçenin karşı tarafına geçtik.

Flavia, "Majesteleri yerlerini aldılar mı?" diye sordu uşağa.

"Kraliyet ailesi üyeleri en son gelir hanımefendi."

Adamın sesinde kibar bir mağrurluk seziliyordu; sanki Kraliçe'nin ne yapıp ne yapmadığını herkesin bilmesini bekliyor gibiydi.

Beraberce metal merdivenlerden çıktıktan sonra uşak bir kapıyı açtı ve geri çekilip kraliyet locasına girmemize izin verdi.

Fakat girdiğimiz yer kraliyet locası değildi.

Bir sahneye bakan bu üstü tenteli küçük balkonda oturulacak altı tane yer vardı. Altımızda ise yükseltilmiş bir daire biçiminde sıra sıra koltuklar konulmuştu; sanki küçük ama lüks bir tiyatronun içi Buckingham Sarayı'nın geniş bahçesine taşınmıştı.

Maddy dayanamayıp, "Burası biraz sıkışık olacak gibi," dedi. "Kraliyet ailesi üyeleri geldiğinde demek istiyorum."

Flavia ona bakıp güldü. "Zannedersem Kraliçe kraliyet locasında oturuyor olacak."

Sahne yönünde bir yeri gösteriyordu. Bizim oturacağımız yerin en fazla bir metre uzağında, sağda küçük bir balkon daha vardı; ama o balkon gösterişli kırmızı kadifelerle kaplanmıştı.

Zak, "Gösteri sırasında birbirimize patlamış mısır uzatabilecek kadar yakın oturuyoruz," dedi. Ortadaki yerlerden birine oturmuş olan Sör Geoffrey öfkeli bir bakış fırlatmak için oğluna döndü.

"Bir kere daha bu şekilde konuşursan seni eve yollarım."

Altımızda izleyiciler yerlerini almaya başlamışlardı bile. Birçoğunun bize baktığını fark ettiğim zaman koltuğuma gömüldüm. Yeni aile arayışımda başka hiçbir şey keşfetmemiş bile olsam, bugünlerde emin olduğum bir şey vardı: İlginin merkezinde olmaktan nefret ediyordum.

Şansa bakın ki yeni annem ve babam aynı dertten mustarip değildiler. Her ne kadar Flavia ve Sör Geoffrey birçok yönden farklı olsalar da konu ilgi ve tanınma olduğunda aynıydılar. Bunlar her ikisinin de hoşuna gidiyordu. İnsanlar onlara ilgi gösterdikleri zaman sadece daha canlı olmakla kalmıyor, diğer insanların takdir edici bakışları altında fiziksel olarak da büyüyorlardı sanki.

Bir taraflarında ikizler, diğerinde ise Maddy ve ben, televizyonda misafirleri oynayan aktörler gibi hafifçe abartılı ve sahte şekilde birbirleriyle sohbet ediyorlardı.

Ama saray galasının başlamasına dakikalar kala benim aklımda yalnızca babam vardı: gerçek babam. Bir tane olan babam. Daha iki hafta önce evden çıkamıyor, günleri bira kutularına bakarak hesaplıyordu. Onun için iyi bir iş haftası, büyük ihtimalle yirmi sene önce yazdığı bir şarkının birkaç sözünü değiştirmek demekti.

Şimdi ise Buckingham Sarayı'nda sahneye çıkacak, dünyanın en ünlü müzisyenlerinden bazılarının, ünlü yıldızlardan oluşan bir izleyici kitlesinin ve Kraliçe'nin önünde canlı konser verecekti.

Bunu nasıl yapacaktı? Eğer her şey ters giderse bu onu nasıl etkileyecekti? Ve daha önemlisi –yeni aklıma gelen bir düşünceydi bu– acaba beni suçlar mıydı?

Endişe dünyasının derinliklerine dalmış olmalıyım ki, solumda oturan Maddy'nin beni dürttüğünü anlamam uzun zaman aldı.

Kendime geldiğimde, önden üçüncü sırada oturan bir grup insanı işaret etti.

Önce Rick'i, arkasından da neredeyse iyi giyinmiş olduğunu söyleyebileceğim Kirsty'yi tanıdım. Robbie ise ayağa kalkmış sahneye bakıyor, hayatında ilk kez söyleyecek bir şey bulamıyordu.

Sonra, sanki benim gibi kendi düşüncelerine dalmış olduğu için hiç kıpırdamadan oturup önüne bakmakta olan Paula Denise Bell'i, annemi, gördüm.

Ben ona bakarken, bir tür içgüdüyle o da kıpırdandı ve gözlerimin içine bakana dek yavaşça kafasını çevirdi.

Bir süre öyle kaldık. Sonra küçük bir kız gibi el salladı. Ben de afallamış ve sersemlemiş bir şekilde elimi kaldırıp yavaş yavaş salladım.

O an bütün seyirciler ayağa kalkıp bana bakmaya başladılar.

Şaşkınlıktan elim hâlâ havada, yüzümde panik dolu bir gülümsemeyle donakalmıştım. Maddy yanımda ayağa kalkmıştı. Halen oturup el sallamakta olan beni görmesine rağmen kafasını çevirdi; hemen ardından ise ne yaptığımı kavrayıp şaşkınlık içerisinde bir kez daha baktı ve koluma yapışıp beni ayağa kaldırdı. "Sana bakmıyorlar Danny!"

O sırada altımızdaki orkestra harekete geçti. Çok tanıdık bir melodi çalıyorlardı.

Bense anca şimdi sağ tarafıma bakmayı akıl edebilmiştim. Yan balkonda kavuniçi renkte giyinmiş ve kafasına taç takmış bir kadın ayakta duruyordu. Herkesin, şarkısını söylemeye başladığı kadındı bu.

Kraliçe önüne bakıyor, azıcık sıkılmış görünüyordu. Arkasında daha uzun boylu olan Edinburgh Dükü hazrolda durmaktaydı. Onların arkalarında ise tanıyamadığım dört kişi vardı. Bu dörtlüden biri olan otuzlarında bir kadının, milli marşın sonuna gelindiğinde çaktırmadan bana doğru baktığını hissettim. Acaba saraydaki insanlar bugün bir televizyon galası dışında başrolünü benim oynadığım başka bir şovun da devam ettiğinden haberdar mıydılar? Bu soru aklıma ilk kez gelmiyordu.

Oturduk ve elimizden geldiği kadar dünyanın en ünlü ailesinden birkaç adım ötede olmaya son derece alışık insanlar gibi davranmaya çalıştık. En ünlü yıldızlarla vakit geçirmeye alışık olan Zak'ın ve Gemma'nın bile sindiklerini ve son derece uslu davrandıklarını fark ettim. Sör Geoffrey ve Flavia da koltuklarında dimdik oturuyorlar, öğretmenlerini mutlu etmek için sınıfın en ön sırasında oturan iri çocuklar gibi olan biteni kibarca izliyorlardı.

Bu arada öğretmense, sanki dev bir televizyon galasının onur konuğu olduğu gerçeği aklından çıkmış gibi kraliyet ailesinin diğer üyeleriyle sohbet etmekteydi. Aşağıda oturan anneme baktım. O da balkonlara doğru bakıyordu, ama Kraliçe hiç umurunda değildi. O oğluna gülümsüyordu.

BİR NEVİ ANTİKA

Daha sonra insanlar bana, eski ve yeni birçok müzisyen ve komedyenin, birkaç yüz zengin ve ünlü insan ve benim için sahne almış olmasının nasıl bir şey olduğunu soracaklardı. Şimdilerde olan biteni ballandıra ballandıra anlatıyor, 'Şu mega star ne yapmış, bu komedyenin hangi esprisi kameralar için fazla müstehcen bulunmuş,' gibisinden hikâyeler uyduruyorum.

Ama aslında o gece o kadar korkmuş, o kadar afallamıştım ki işin eğlence kısmından hiçbir şey anlayamamıştım. Bir tarafımda yeni ailem –kudretli bir işadamı olan yeni babam ve bir Hollywood yıldızı olan yeni annem– diğer tarafımda da Kraliçe ile Edinburgh Dükü vardı!

Ve daha da korkuncu, babam sahne arkasındaydı. Neredeyse yirmi yıldan sonra ilk kez seyirci önüne çıkacaktı. Ve eğer işler ters giderse hep benim yüzümdendi.

Gösterinin ilk kısmının sonlarına doğruydu. Bir televizyon dizisinden hatırladığım Amerikalı –yakışıklı, zenci, daha okula gidiyor olabilecek kadar genç– bir aktör coşkulu alkışlar arasında sahneye çıktı. Üç dakika boyunca birbiri ardına seyircinin bayıldığı türden espriler patlattığı halde ben dikkatimi verememiştim; ta ki birden durup, küstah bir yüz ifadesiyle bizim bulunduğumuz yöne doğru bakıncaya kadar.

"Bilirsiniz, bazıları tüm kraliyet ailesinin bir nevi antika olduğunu söyler. Geçmiş yüzyıllardan kalmış gibi yani, haksız mıyım?"

Kraliçe hiç kıpırdamadan, yüzünde hiç de eğlenmediğini belirten bir ifadeyle sahneye bakarken etraftan hafifçe, endişeli kahkahalar geliyordu.

"Ama yoo," komedyen kafasını salladı, "ben öyle düşünmüyorum. Bence kraliyet ailesi çok iyi bir iş çıkarıyor. Eğer bizim o tarafa gelip ne bileyim, mesela Beyaz Saray'ın bahçesini bir polo sahasına çevirseler hayır demezdim." Sahnenin kenarına doğru çaktırmadan bir bakış attı.

"Ayrıca sizi delirtecek, rock dinozorları dedirtecek kadar antika bir şey istiyorsanız sırada tam size göre bir gösteri var. Majesteleri, bayanlar ve baylar, 1984 yılından bu yana ilk kez beraber çalacak olan, rock tarihinin efsaneleri arasına girmiş bir grup: Tony!"

Gecenin en büyük alkışı koptu. Perde açıldı ve sahne ışıkları altında Tony'nin dört üyesi göründü. Daha çalmaya başlamadan, henüz sahne önüne doğru yürürlerken alkışlar ve tezahüratlar kahkahaya dönüşmüştü bile.

İlk anda, sahnedekiler zamanda bir kayma sonucu oraya gelmişler gibi bir görüntü oluşmuştu. Fakat daha sonra seyirciler kayan şeyin zaman değil, Tony üyelerinin tipleri olduğunun farkına varmışlardı. Seyrelmeye yüz tutmuş gri saçlarına yaldız sürülmüştü. Giydikleri çılgın ve sahte olduğu belli asker kıyafetleri, her bir üyenin son yirmi yılda oldukça kilo aldığını ortaya koyuyordu. Yüzlerindeki makyaj onları daha genç göstermek yerine ciltlerini daha da kırışık hale getirmişti.

Bir an babamın sarhoş olduğunu düşündüm. Sahnenin önüne doğru yürürken sendeliyor gibiydi. Daha sonra diğer üçünün de dengelerini bulmakta zorlandıklarını fark ettim. Onlara verilen botların topukları, herhangi birinin gençken bile giymiş olabileceğinden çok daha yüksekti.

Mekân kahkahadan kırılıyordu; Tony üyeleri şaşkınlık içerisinde birbirlerine baktıklarında ise bu hareketin de gösterinin bir parçası olduğunu düşünen izleyicilerden bir alkış koptu.

Sör Geoffrey Sheridan'a baktım. Gözlerini dikmiş bana bakıyor, verdiğim tepkileri soğuk bir memnuniyetle seyrediyordu.

Tony oyuna getirilmişti. Daha bir nota bile çalmadan müzisyenlikten çıkıp bir komedi grubuna dönüşmüşlerdi. Sör Geoffrey intikamını almak üzereydi.

Babam mikrofona yaklaştı. Yumruğunu havaya kaldırdı ve "Bu gece gürültü yapacak mıyııızz?" diye bağırdı.

Birkaç yerden isteksizce 'evet' şeklinde bağırtılar geldi. Dinleyicilerin büyük bir kısmı, yüzlerinde utangaç gülümsemelerle oturuyorlardı.

Babam soruyu önce bir kez, sonra iki kez daha tekrarladı; dinleyiciler üçüncü kez cevap vermeden önce ise gitarında tek bir akor bastı. Birileri ses ayarlarıyla oynamış olmalıydı, çünkü çıkan ses o kadar sağır edici düzeydeydi ki insanın dişlerini titretiyordu. Solunda oturan kadına doğru dönen Kraliçe'nin, "Aman tanrım!" dediğini gördüm.

Bu olanlar çılgıncaydı; hem de çok fazla. Her şeyden önce Buckingham Sarayı'ndaki bir konser için çok yanlıştı. Babam gitarına abanıp Tommy, Spike ve Lev ile birlikte 'Sev Beni, Terk Et Beni' adlı şarkıyı söylemeye başlayınca oturduğumuz koltuklar sallanmaya başlamıştı.

"Beni sevmek ister misin?
Eveeet, evet!
Kendini üstüme koyar mısın?
Eveeet, evet!
Baştan aşağı soyar mısın?
Eveeet, evet!"

Daha şarkı başlayalı birkaç saniye olmasına rağmen, Majesteleri'ne hak vermeye başlamıştım. Aman tanrım! Aman tanrım, aman tanrım, aman tanrım!.. Şarkı gerçek bir rock and roll şarkısı olabilirdi; zamanının klasiklerinden de sayılabilirdi, ama şu anda sanki sarayda Üçüncü Dünya Savaşı çıktığı hissini uyandırıyordu.

Bu dört adamın, parlak kıyafetleri, kalın ve yüksek topuklarıyla sahnede yalpalayarak sağır edici bir gürültü yapmaları dinleyicileri de rahatsız etmeye başlamıştı. Artık kimse gülmüyordu. Bazıları elleriyle kulaklarını kapatmışlardı.

"Sev beni, terk et beni, kim dinler ki seni?"

Tony o meşhur nakarat kısmına geçtiğinde, ayaktaki birkaç kişi de oturmuştu. Annemin sanki sahnede olanları kaldıramıyormuş gibi yere baktığını fark ettim. Sağımda ise Kraliçe, sanki görünmez bir işkenceye maruz kalmış gibi görünüyor, Edinburgh Dükü ise sıkılmış bir şekilde havalara bakarken bir yandan da parmağıyla imalı bir biçimde kol saatine vuruyordu.

Ama bir kişi oldukça iyi vakit geçiriyordu. Müziğe uygun bir ritimde eliyle bacağına vurmakta olan Sör Geoffrey Sheridan'ın yüzünde küçük bir memnuniyet gülümsemesi vardı.

Sonra, tam da 'Sev Beni, Terk Et Beni'nin hiç bitmeyeceğini düşünürken şarkı sona erdi. Tony ortalığı yıkan son bir akor ile şarkıyı bitirince dinleyicilerden bir rahatlama alkışı geldi. Babam bize doğru eğilerek selam verirken dengesini kaybedip kıçüstü oturma tehlikesi geçirince utangaç kıkırdamalar duyuldu. Sonra da perdeler kapandı. Çile bitmişti.

Ama sırada bir tane daha vardı.

31. RÖPORTAJ: Lev Williamson, Tommy Bruce ve Spike Farlowe

LEV: *Bizler müzisyeniz, evet. Bütün bu gösteri dünyası, kostüm ve makyaj olayı bizim işimiz değil. Bunlarla uğraşmak için adamlarımız var.*

SPIKE: *Evet, bu işlerle uğraşmak için bir sürü yardımcı.*

TOMMY: *Bir zamanlar vardı. Ama artık yok.*

SPIKE: *Doğru. Artık bir sürü yardımcımız yok.*

TOMMY: *İşte bu yüzden, bize eski kıyafetlerimizi ve o çılgın ayakkabıları giymemiz söylendiğinde kabul ettik. Birer ahmak gibi görüneceğimizi nereden bilebilirdik?*

RÖPORTAJCI: *Aynaya baktığınız zaman hiç aklınıza...*

LEV: *Pekâlâ, belki de böyle olacağını bilmemiz gerekirdi. Sadece biraz komik olacağını düşünmüştük. Kraliçe'nin hoşuna gideceğini söylemişlerdi. Daha sonra bizi gördüğünde hoş bir performans olduğunu söyledi.*

TOMMY: *Evet, aynen öyle dedi bana.*

SPIKE: *Bana da.*

LEV: *Gördün mü? Gerçekten de öyle düşünüyor olmalı. Oyuna getirilip aptal gibi görünmedik. Öyle değil mi?*

Babam ve diğer göz kamaştırıcı grup üyelerinin yaptığı şamatadan dolayı kulaklarım çınlıyordu. O geçmek bilmeyen beş dakikanın verdiği tarif edilemez utançtan dolayı karnıma ağrılar giriyordu. Kafam allak bullak olmuştu.

Şu anda yeryüzünde ihtiyacım olan en son şey, kibar bir çay saati sohbetiydi.

Bir sarayda.

İngiltere Kraliçesi ile.

Sör Geoffrey ve Flavia önde, ikizler, Maddy ve ben arkada, duvarlarda kocaman antika portreler, bazı masaların üzerinde de yarış atı fotoğrafları bulunan bir oturma odasına götürüldüğümüzde, buranın bize dinlenmemiz için ayrılmış bir oda olduğunu düşündüm.

Oturacağımız yerler gösterildiği sırada, otomatik olarak gözlerim her hareketimi kontrol eden kameraları aramaya başladı. Ve elbette salonun uzak köşesinde, uçuk bir bilim kurgu filminden fırlayıp Buckingham Sarayı'nı istila etmiş bir yaratık gibi duran, üç ayaklı fotoğraf sehpası üzerine yerleştirilmiş küçük siyah bir kamera bana doğru yöneltilmişti.

Maddy'ye bir şeyler söylemek üzereyken, oturma düzenimiz düzgün bir yarım daire şeklinde olduğu halde, bir tanesi benim yanımda olan dört sandalyenin hâlâ boş olduğunu fark ettim.

Kafamda oluşan soruya cevap verircesine kapı açıldı ve içeri paytak paytak yürüyen iki tombul köpek girdi.

Buckingham Sarayı'nda köpeklerin ne işi olduğunu bulmaya çalışırken dört kişi daha kapıdan geçti: Kraliçe, arkasından Dük ve birkaç adım geriden de kraliyet locasında gördüğüm orta yaşlı iki kadın.

Hep beraber ayağa kalktığımız sırada Sör Geoffrey öne çıktı ve kendisini her nasılsa bir uşağa benzeten bir ses tonuyla, "Hoş geldiniz Majesteleri," dedi ve eğildi.

Daha sonra ise kraliyet ailesi üyelerine benim bulunduğum yöne doğru eşlik etti. İkizlerin "saygıdeğer madam" demeyi unutmadığının, Dük'ün Flavia ile filmleri hakkında sohbet etmek için sabırsızlandığının hayal meyal farkındaydım. Ardından o ünlü şahsiyetin önümde durduğunu gördüm.

Kraliçe, "Ve sen de Danny olmalısın," dedi. "Hakkında çok şey duydum."

Eğilerek selam verdim ve "Saygıdeğer madam," dedim.

"Seninle ilgili son haberleri almak için sabırsızlanıyorum."

Ben daha cevap veremeden dönüp odadakilere gülümsedi. "Çay içelim mi?" Sör Geoffrey ile benim aramdaki sandalyeye oturdu.

Salon çay için gerekli şeyleri taşıyan hizmetçilerin akınına uğramıştı. Onlar etrafımızda dört dönerken Sör Geoffrey de havadan sudan konuşuyordu. Aptal aptal sırıtarak, "Majesteleri gösteriyi beğendiler mi?" diye sordu.

"Evet." Kraliçe birçok insanın bir cümleye bile zor sığdırdığı miktarda belirsizlikten daha fazlasını bir tek kelimeye sığdırmayı başarmıştı. "Her şey oldukça etkileyiciydi, öyle değil mi?"

"Evet, saygıdeğer madam." Sör Geoffrey sandalyesinin ucunda oturmuş, her an dizlerinin üzerine çökecekmiş gibi görünüyordu.

Kraliçe yeni babama arkasını döndü ve –o da ne?– bana baktı. "Duyduğuma göre yeni bir aile arıyormuşsun," dedi.

İngiltere Kraliçesi'nin AileniSeç maceram hakkında her şeyi bildiğinin farkına varmak, bir süre için sesimi çıkaramayıp ağzımı tıpkı bir Japon balığı gibi açıp kapamama neden olmuştu.

"Galiba öyle," diye mırıldandım.

"Neden böyle bir şey yapmak isteyesin ki?" Kraliçe'nin sesinde hafif bir hoşnutsuzluk seziliyordu.

"Hayatım pek de iyi sayılmazdı, saygıdeğer madam," dedim. "Kontrol bende değildi."

Kraliçe kaşlarını çattı. "Kontrol? Senin yaşında biri neden kontrolü elinde bulundursun ki? Bu yetişkinlerin işi."

"Sorun da oydu zaten. Kontrol kimsenin elinde değildi. Bir hiçliğe sürüklenmek için büyüyormuşum gibi hissediyordum. Düşündüm ki eğer büyükler hayatlarını değiştirebiliyorlarsa, çocuklar niye değiştiremesin? Sonra da bana yeni bir hayat sunacağa benzeyen AileniSeç şirketini buldum. Tabi daha sonra farkına vardım ki..."

"Sana gerçekten de yeni bir hayat sundu," dedi Sör Geoffrey çabucak. "Eğer olduğun yerde kalsaydın, sanmıyorum ki Buckingham Sarayı'nda Majesteleri ile çay içebilesin."

Şaşkınlıkla, Kraliçe'nin Sör Geoffrey'nin araya girmesini görmezden geldiğini gördüm. Sanki o an Sör Geoffrey Sheridan orada değilmiş gibiydi.

Daha alçak bir ses tonuyla ve yalnızca ikimizin duyabileceği bir şekilde, "Ailelerin birbirlerinden o kadar da farklı olduklarını düşünmüyorum," dedi. "Aileler zengin olsun ya da olmasın, çocuk yetiştirmek korkunç derecede zor bir iş."

Gloria Konutları, No:33'teki pek de zengin olmayan hayatımızın görüntüsü bir an için gözümün önüne gelmişti. O hayatın kavgaları, dağınıklığı ve insana verdiği 'hiçbir şeyin değişmeyeceği' duygusuyla, şimdi oturduğum evin son derece sakin, son derece ilginç, her yönüyle ve en ince ayrıntısına kadar düzenlenmiş yaşamı arasında hiçbir bağlantı kuramıyordum.

"Eskiden bir şeyler yapabilmenin hayalini kurardım." Hayatım boyunca posta pulları üzerinde gördüğüm, ama o an için sadece bir dinleyici olan yüze baktım. "Benim hiçbir zaman yaşayamayacağım maceraları yaşayan, benim beceremediğim bir şekilde kendi hayatına hükmedebilen

Jay Daniel Bellingham adlı karakteri yarattım. Her gün saatlerce o olduğumu farz ederdim."

"Peki bu Jay Daniel Bellingham şimdi nerede?"

Güldüm. "Hayatımdan uçup gitti gibi bir şey."

"Öyle görünmese de aileler bazen ellerinden gelenin en iyisini yapıyorlardır." Kraliçe alçak sesle, sanki kendi kendiyle sohbet ediyormuş gibi konuşuyordu. "Eğer sana inanıyorlarsa, hayatına bir yön verebileceğine ve kendi hayatlarına da yardımcı olabileceğine güveniyorlarsa bu oldukça önemli bir şeydir."

"Evden taşınıp sizi terk ettiklerinde bile mi?"

Sör Geoffrey Sheridan, Kraliçe'nin arkasında o anki durumdan rahatsız olduğunu belli ediyordu. "Eminim ki Majesteleri'nin konuşacak daha önemli..."

Söyleyeceği şey her ne ise, Kraliçe'nin kalkan eli ile yarıda kesilmişti. "Annenin de sana güvendiğine eminim." Kraliçe'nin yüzüne dalgın bir bakış yerleşmişti. "Doğru kelimelerin ağızdan çıkmıyor olması, duyguların da orada olmadığı anlamına gelmez."

Ve o anda Kraliçe'ye hayatımdaki karmaşayı –annemin uzakta oluşu, Kirsty'nin benden nefret etmesi, babamın evden çıkamaması, Robbie'nin sıkıntıdan kafayı yemesi– olduğu gibi anlatmak istedim, ama o henüz lafını bitirmemişti.

"Aileler karmaşıktır," dedi. "Nerede olursan, kim olursan ol, bu böyledir. Bizim için zor ise..." hareketli bir biçimde Flavia ve Maddy ile konuşan Edinburgh Dükü'ne bir bakış fırlattı, "diğer insanlar için niye olmasın?"

"Sanırım haklısınız," dedim.

"Ne düşünüyorum, biliyor musun?" Kraliçe öne doğru eğildi ve bana söyleyeceği şeyi kimsenin duymaması için iyice alçak sesle konuştu. "Bence senin şu Jay Daniel Bellingham'ın hâlâ ortalıklarda. Sadece artık ona Danny Bell diyorlar."

Tekrar sandalyesine yaslandı ve yanında getirdiği kadınlardan birine çalışılmış bir bakış attı; gitmeyi arzuladığını işaret ediyor gibiydi. İşte bu anda hiç beklenmedik bir olay oldu.

"Son derece berbattılar!" Oturma odasında yankılanan bu ses hiç şüphesiz Edinburgh Dükü'ne aitti. "Diğer gruplar fena değildi, tabi eğer o korkunç şamatadan hoşlanıyorsanız; ama o parlak kıyafetler içindeki şapşal moruklar da kimin fikriydi allah aşkına?"

Sör Geoffrey, "O grubun adı Tony'ydi," dedi.

"Adları isterse Tom, Dick ya da Arşidük Ferdinand olabilir, Londra Hayvanat Bahçesi'ndeki maymunlar evinde kulağa daha hoş gelen sesler duymuştum."

Flavia, Sör Geoffrey ve Kraliçe'nin yanındaki iki bayan biraz fazlaca yüksek bir sesle güldüler.

Yeni babam sandalyesinde öne doğru eğildi; Kraliçe ile olan sohbetim sırasında yaşadığı utanç verici olaydan sonra intikam almak için hazırlandığını biliyordum.

Yumuşak bir sesle, "Tony olayında biraz hatalı davrandığımı kabul etmeliyim Sör," dedi. "Gerçekten de sadece hafif bir eğlence olsun diye bu organizasyona dahil edildiler."

"Hıh!" Bu açıklamanın Edinburgh Dükü'nü pek de tatmin etmediği belliydi.

Sör Geoffrey bana doğru gülümseyerek, "Eminim ki herkes Tony'nin bir felaket olduğu konusunda hemfikir," dedi. "Gerçekten de utanç vericiydi."

Uzun ve derince bir nefes aldım. Nefesimi verdiğimde, ağzımdan yüksek sesle ve isyankârca söylenmiş bir cümle de çıktı:

"Solist benim babam!"

Başlar döndü. Odadaki sıcaklık elli derece birden düşmüş gibiydi.

"Grubunun birkaç yıl önce listelerde bir numaraya yükselmiş üç tane şarkısı vardı." Sesim alçak olmasına rağmen içinde utanç barındırmıyordu. "Artık o kadar da büyük olmayabilirler, ama insanlara diğer birçok müzisyenden daha çok zevk vermişlerdir."

Hiçbir zaman bitmeyecekmiş gibi gelen bir sessizlik ortama hâkim olmuştu. İlk konuşan Kraliçe olunca şaşırdım.

Bana gülümseyerek, "Aslında," dedi, "ben onları oldukça eğlenceli buldum. Ayrıca burada, listelerde bir numaraya yükselmiş üç tane şarkı sahibi anne veya babası olan başka biri bulunmadığına da bahse girerim. Yanılıyor muyum?"

Dük, "Ne mutlu ona," diye homurdanınca Kraliçe ona bir uyarı bakışı fırlattı.

Sör Geoffrey gülümseyebilmek için oldukça zorlanıyordu. "Yani siz Sev Beni, Terk Et Beni'nin hayranı mısınız saygıdeğer madam?" diye sordu.

Ben bile bunun feci bir taktik hatası olduğunu söyleyebilirdim. Kraliçe, sanki Sör Geoffrey'nin orada olduğunu yeni fark etmiş gibi ona doğru döndü. Birkaç gergin saniye süren soğuk bir bakış Sör Geoffrey'yi sandalyesine gömer gibi olmuştu.

Kraliçe alçak sesle, "Benim müzik zevkimle bir alıp veremediğiniz mi var?" diye sordu.

"Ha… hayır, saygıdeğer madam." Sör Geoffrey'nin yüzü kızarıyordu. "Kesinlikle hayır, saygıdeğer madam."

Kraliçe ayağa kalktı. "İyi. O zaman gidip ikinci yarının bize neler göstereceğine bakalım."

ÖZGÜRLÜĞÜN ŞARKISI

Her şeyi yüzüme gözüme bulaştırmıştım. Elime mantıklı bir insanın umabileceğinden çok daha fazla fırsat geçmesine rağmen yine de her şeyi berbat etmiştim.

Babamın geri dönüşü mahvolmuştu. Yerlerimize doğru giderken, onu şu anda sahne arkasında yıkılmış, hayata eskisinden daha kızgın ve geleceği hakkında daha endişeli bir şekilde gözümde canlandırabiliyordum. Hayatımda önem verdiğim herkes –Maddy, Rick, Kirsty, Robbie ve hepsinden daha önemlisi annem– de sayemde bu utanç verici durumu izlemeye gelmişti.

Mükemmel aileyi bulma yönündeki büyük maceram da sekteye uğramıştı. Locaya doğru giderken Zak ve Gemma yanıma gelmiş, Gemma pek de inandırıcı olmayan bir şekilde, "Babanın grubunu gerçekten de beğendik" demişti; ama Flavia ve Sör Geoffrey olanlar karşısında sessiz bir öfkeyle önümüzden yürüyorlardı.

Kraliçe ile çay içmeye davet edilmişlerdi.

Utanç verici bir olay yaşanmıştı.

Büyük bir ihtimalle bir daha hiçbir zaman saraya davet edilmeyeceklerdi.

Bütün bunlar tam bir felaketti.

İşte durum buydu. Yaklaşık bir saat içerisinde, bir şekilde hayatımı değiştirebileceğim fikri tarih olacaktı. Önce yeni bir başlangıç yapmak istemiş, sonra ailemi yeniden bir araya getirmeye çalışmış, ama en sonunda her şeyi eskisinden daha kötü bir duruma getirmiştim.

Locamızda beklerken küçük grubumuza gergin bir sessizlik hâkim olmuştu. Kraliyet ailesi üyeleri göründüğünde biz de seyircilerle beraber ayağa kalktık. Yeni arkadaşım İngiltere Kraliçesi'nden küçük bir gülücük alma umuduyla o tarafa baktıysam da o, 'saygıdeğer madam' haline geri dönmüş, önüne bakıyor, bir gösteri dünyası galasının onur konuğundan çok, idam edilmeyi bekleyen birini andırıyordu.

Oturduk. Altın rengindeki akşamüstü ışığında dünyanın en ünlü müzisyenlerinden bazılarının bize şarkı söylemelerini izledik. İkinci yarı ilkinden daha iyiydi; çocuklardan, açlıktan ve dünyada zor durumda olan milyonlarca insana oranla ne kadar şanslı olduğumuzdan bahsedildikçe ortama giderek daha fazla duygusallık hâkim oluyordu. Trilyoner müzisyenlerin açlık çeken çocuklar için timsah gözyaşları dökmeleri normalde bana vız gelirdi, ama şimdi garip bir ruh halindeydim; müziklerden ve şarkı sözlerinden etkilenmiştim.

Kendime bunun iyi bir şey olduğunu söyledim. O akşam orada hissedilen duygular, benim yaşadığım aile krizini 'Son derece önemsiz: Danny Bell'in zavallı ve küçük sorunları' adı verilmiş dosyaya yerleştirmişti. Sandalyemde öne doğru iyice kaykılmıştım; bu geceyi düzenleyen, dünyadaki fakir çocuklar için beş kuruş bile bağış yapmadığına, onları aklından bile geçirmediğine bahse girebileceğim adamı göz ucuyla bile gördüğüm takdirde bu anın büyüsünün bozulacağını biliyordum. Bazen kötü amaçlarla da iyi şeyler yapılabileceğini söyledim kendime.

Gece sona ererken sahneye, daha önce verilen resepsiyonda gördüğüm ünlü bir Hollywood aktörü çıktı. Artık ciddileşmemizin vaktinin geldiğini ima eden kasvetli bir sesle, neredeyse programın sonuna gelindiğini söyledi. Bütün müzisyenler sahneye dizilip final şarkısı söylemeyeceklerdi. Sessizce dağılıyorduk.

"Bu gece için, üç müzisyen arkadaşım yeni şarkılar yazdı." Aktör o kadar kendini beğenmiş görünüyordu ki bilmeyen biri, o şarkıların kendisi için yazıldığını sanabilirdi. "Bu çok özel yıldızların benim tanıtmama ihtiyaçları olduğunu zannetmiyorum."

Daha sözünü bitirmeden sahneye bir gitarist eşliğinde, ilk albümü büyük başarı yakalamış bir kız çıktı.

Fısıldayarak söylediği şarkı bana daha çok bir ninniyi hatırlatmış, ama dinleyicileri mest etmişti.

Sırada yaklaşık 200 yaşında olan Amerikalı bir blues şarkıcısı vardı. Ağır adımlarla piyanonun başına gitti ve tabureye yerleşti. Parmakları tuşlara değer değmez adam canlanıverdi. Bitirdiğinde seyirci onu gözden kaybolana kadar ayakta alkışladı.

Dinleyiciler yerlerine oturup bir sonraki şarkıcı hakkında konuşmaya başladıkları zaman kısa bir ara oldu.

Az sonra ise sahnenin sol tarafından gecenin son şarkıcısı çıktı: Kot ve tişört giymiş, sırtına eski ve yıpranmış gitarını asmış, bir saat önce ne kadar yapaysa şimdi de o kadar doğal biri:

Babam.

Gecenin ilk kısmındaki utanç verici durumun tekrarlanmak üzere olduğu korkusuyla yutkundum. Bir sahne görevlisi yüksekçe bir tabure getirdi. Babam oturdu, bir yandan gülümserken bir yandan da sahne ışıklarına karşı elini gözlerine siper ediyordu. Önündeki mikrofonu kendine göre ayarladı ve gitarının akordunun yerinde olduğundan emin olmak için bir akor bastı.

Sonra ise, sanki evde oturuyormuş, kendisinden gelen müzik dışında hiçbir şeyin önemi yokmuş gibi rahat ve karizmatik bir şekilde şarkısını söylemeye başladı:

"Çok uzun zamandır uyuyordum,
Tıpkı Rip Van Winkle gibi,
Mutsuz, kayıp ve bitkin,
Ölüler bile benden daha diri."

Sesi sanki bir itirafta bulunuyormuş gibi derin ve hırıltılıydı. İlk kıtanın sonuna geldiğinde bahçeye öyle bir sessizlik çökmüştü ki sanki Londra'nın tamamı nefesini tutmuştu.

"Fakat biri tarafından uyandırıldım,
O bana doğruyu yanlışı gösterdi
Işıkları açtı ve aydınlandım!
Ne düşündüğün değil, ne yaptığın önemliydi."

O sırada babam bana baktı. Öylesine büyülenmiştim ki eğilip karanlığa saklanmayı bile akıl edemedim. İlgisini tekrardan önündeki dinleyicilere yönelteceğini zannetmiştim; ama o nakarat kısmına geçtiğinde locaya doğru bakmaya devam etti.

"Uyan bu rüyadan ve git yap şunu,
Kumdan kaleler dikmek yerine
Yetti bu hayaller, haydi yap şunu,
Gelecek artık senin elinde."

Bu harika bir şarkıydı; hatta babamın şimdiye kadar yazdığı en iyi şarkıydı ve bugüne cuk oturmuştu. Onu orada otururken, parlak kıyafetler, grup ve gürültü olmadan, yalnızca gitarı ve söyleyecek bir şarkısı olan biri olarak görmek, şöhret denen şeyin deliliğinin ve boşluğunun farkına varmamızı sağlamıştı.

Önemli olan buydu. Müzik bu yüzden vardı.

Babam son bir defa nakarat kısmını söylerken, arkasındaki ekranda da yavaş yavaş her ırktan ve ten renginden çocukların bulunduğu bir resim belirmeye başlamıştı. O da şarkının son satırını değiştirdi, 'gelecekleri sizin elinizde' şeklinde söyledi.

Bitirdiğinde beş on saniye boyunca dinleyiciler üzerine bir sessizlik çöktü; duyulan tek ses Londra üzerinde yüksekten uçan çobanaldatan kuşlarının hayaletvari, uzak çığlıklarıydı.

Arkasından gelen alkış ve bağırışlar ise bir gök gürlemesini andırıyordu.

Babam ayağa kalktı ve gülümsedi. Gösterinin diğer yıldızları da seyirciyi son bir kez selamlamak üzere sahnenin iki yanından gelmeye başladıklarında, gürültü iyice artıp ılık akşam havasına karışmıştı sanki. Konser sona ermişti.

Ertesi günkü gazeteler, Dave Bell'in Majesteleri için yazdığı şarkıyı söylediğinden bahsedeceklerdi. Bir gazete, 'sıra dışı bir gecenin tartışılmaz yıldızı' diyordu ve açıkçası dışarıdan bakınca durum böyle görünüyordu.

Ama ben gerçeği biliyordum. Babam şarkıyı bana söylemiş, bir baba olarak oğluna normal yollardan söyleyemediği bazı sözleri ve hissettiği tüm duyguları o küçük şarkıya sığdırmıştı.

İşin aslının farkına varan biri daha vardı. Babam orada oturmuş, etrafı yıkan alkış tufanı içerisinden bana gülümserken, Kraliçe bana dönmüş ve çok küçük, çok özel bir gülücük vermişti.

O an o kadar kısa sürmüştü ki, başka kimse olanların farkına varamazdı. Babam sahneden bana bakıyor, Kraliçe locasından gülümsüyordu ve üçümüz özel bir sırrı paylaşıyorduk.

32. RÖPORTAJ: *Paula Bell*

PAULA: *Dave'in daha önce de bu numarayı yaptığını görmüştüm. Hatta beni de bu şekilde kandırmıştı. Ama bir daha yıllar boyunca hiç göremedim. Sanki eski Dave Bell ne kadar iyi bir müzisyen olduğunu tüm dünyaya hatırlatmak için karanlıklardan fırlayıp gelmişti.*

RÖPORTAJCI: *Peki siz...*

PAULA: Evet. *Her ne sorduysanız cevabı 'evet'. O an mümkün olan tüm duyguları yaşıyordum. Kirsty ve Robbie'ye sarıldım; hatta o kargaşada Rick'e bile sarılmış olabilirim. Yalnızca Kirsty'nin o alkış sesleri arasında kulağıma, "Eve dönme zamanı anne," diye bağırdığını, Robbie'nin de arka arkaya, "O benim babamdı! O benim babamdı!" dediğini hatırlıyorum. Bütün bunlardan başımı kaldırdığımda ise Danny babasına gülümsüyor, ardından da —hayal mi gördüm acaba— Kraliçe'ye dönüp 'oldu bu iş' dercesine başparmağını havaya kaldırıyordu.*

RÖPORTAJCI: *Ve olaylar burada son buldu.*

PAULA: *Bell ailesinde olaylar hiçbir zaman son bulmaz. Bildiğim tek şey, derin bir nefes alıp her şeye yeniden başlama zamanının geldiğiydi.*

RÖPORTAJCI: *Tabi Danny eve dönerse...*

PAULA: *Ah, gelmeseydi ben ona yapacağımı bilirdim!*

SEÇME ZAMANI

Üst kattan Channon Konağı'nın bahçesine bakıyorum. Bir bahçıvan çimleri biçiyor, diğeri ise meyve bahçesinde yere dökülen yaprakları temizliyor. Ve ben hayatımdan çok memnunum!

Aşağıdaki odaların birinden gitar sesi duyuluyor. Babam yeni albümü üzerinde çalışıyor.

Bu akşam Maddy'yi bizimle, yani Kirsty, Robbie, annem ve babamla birlikte eski evimiz Gloria Konutları, No:33'te yaşamaya çalışacak olan tanıdık bir çifti seyretmesi için davet ettim.

Bu çift Sör Geoffrey Sheridan ve Flavia de Sanchez'den oluşuyor.

Kraliçe, bize yapılanları görmezden gelememişti. O geceki gösteri sona erdikten sonra saray yetkilileri, KendinOl Yapımcılık'tan Bayan White ve Rafiq'e, sarayda çekilen görüntülerin yalnızca bir şartla yayımlanabileceğini söylediler.

AileniSeç adlı müthiş televizyon deneyinde son bir sürpriz olacaktı. Kraliçe de Sör Geoffrey ve Flavia'yı ilgilendiren bir seçim yapmaya karar vermiş, Bell ailesi bir ay boyunca Channon Konağı'nda gününü gün ederken, bu ikilinin ise Batı Londra'da yaşamasını istemişti.

Harika bir fikir olmasına rağmen, eski 'yeni anne ve babam'ın bunu kabul etmesi olasılığı on milyonda birdi.

Ama galiba kraliçe kandırıldığımın farkındaydı ve Sör Geoffrey Sheridan'a, olanlar duyulduğu takdirde şövalyelik unvanının geri alınabileceği haberi çıtlatılmıştı. Ve –bu sadece bir tahmin– sıradan bir Geoff Sheridan olmak pek de işine gelmemişti.

Gerçeği bilmek ister misiniz? Bell ailesi gelince Channon Konağı'nda yaşam pek de değişmedi. Annem ve babam yeniden konuşmaya başladı; Kirsty arada bir Gary'yi yeni evimize getiriyor; Robbie de tenis oynamayı öğreniyor. Babama merhaba demek için eve sürekli uçuk kaçık rock yıldızları uğruyor. Bazıları artık solo sanatçı olan Dave Bell'in yapmak için anlaşma imzaladığı yeni albümü Uyan Bu Rüyadan'da yer alma şansına bile erişebilirler, kim bilir?

33. RÖPORTAJ: *Rafiq Asmal*

RAFIQ: *Yorum yapmak istemiyorum; sadece televizyon işinde en önemli şeyin esneklik olduğunu söyleyebilirim. Kraliçe iyi bir televizyon programının nasıl olması gerektiği konusunda oldukça bilgili olduğunu gösterdi. Aileni-Seç'in yenilenmiş versiyonunun izlenme oranları mükemmel.*

RÖPORTAJCI: *Ama nedense, konserden sonra belgesel için yaptığımız röportajların sonuncusu olan bu röportaja katılmak istemediniz.*

RAFIQ: *Birtakım gizlilik durumları söz konusuydu. Size daha fazlasını söyleyemem.*

RÖPORTAJCI: *Yani konuşmamanızın nedeni, Danny Bell'in sizi —yani bizi— alt etmiş olması değildi mi diyorsunuz? Sonunda herkesin hakkından geldi ama, öyle değil mi?*

RAFIQ: *Giderek güçlendi, bu doğru. Bunun da büyük bir kısmını bize borçlu. O genç adamın KendinOl Yapımcılık'a yatıp kalkıp dua etmesi gerekir. Şimdi eğer kovulmak istemiyorsan, bu röportajı hemen bitirirsin.*

RÖPORTAJCI: *Peki sizce...*

RAFIQ: *Kes!*

Fergal, teneke kutu biriktirmektedir. Ucuzlukta satılan etiketsiz teneke kutulardan hoşlanır: Onların içinden daima hoş ya da nahoş sürprizler çıkar. Bir gün Fergal bir tanesinin içinde bir parmak, bir başkasındaysa İMDAT yazan bir not bulur...
Ve bu tuhaf hobi o günden sonra kurtçuklarla dolu ölümcül bir teneke kutuya dönüşür.

Yetişkinlerin ulaşamayacağı yerde saklayınız.
İçinden vücut parçaları çıkabilir.

Son derece sıra dışı, dolambaçlı bir konu; gerilim ve virajlarla dolu heyecanlı bir anlatım; geniş bir okur kitlesi bulacak ve çocuklar arasında çok popüler olacak fantastik bir roman.

Mike Royston
Yazar, editör ve eğitim danışmanı

Dünyanın en önemli edebiyat ödüllerinden **Carnegie Madalyası** (2001) sahibi

BİR DİSKDÜNYA MASALI

Uyanık sokak kedisi Maurice, kendisine para kazandıracak iyi bir numara buldu. Fareler ve kavalcılarla ilgili masalları *herkes* bilir. Maurice'in de kavalı olan, aptal görünüşlü bir *insanı* var. Ve bir de farelerden oluşan özel bir istila ekibi. Tuhaf bir biçimde değişmiş farelerden oluşan bir ekip…

Ama Dürüm Hamamı'nda, küçük oyunları aniden bozuluyor. Çünkü orada, farklı bir ezgi çalan birileri var ve şimdi fareler yeni bir sözcük öğrenmek zorunda:

ŞEYTANİ!..

Bu iş, oyun olmaktan çıkıyor. Farenin fareyi yediği bir dünyadır artık.
Ve belki de bu yalnızca başlangıç…

"Ahlaki açıdan cüretkâr, güzel bir biçimde düzenlenmiş, felsefi açıdan alışılmış fantazya öykülerine aykırı."

Guardian

"Kısaca sürükleyici bir masal"

The Times